香港猛鬼札記

進入恐怖心寒的迷離世界

《網絡靈異故事專集》系列第一期由二零零六年創刊面世，迄今已十多年，堪稱香港長壽的鬼書期刊，涉及的題材非常廣泛，有學校鬼故、猛鬼職業、凶宅惡魅、都市異聞、降頭邪靈等等，自出版以來一直深受讀者的喜愛，部分期數即使再版也差不多售罄，讀者想補購也不行，在此萬分多謝讀者的支持！

為了滿足讀者的要求，編輯部特意將《網絡靈異故事專集》重新修訂，全新打造成《香港猛鬼札記》系列，好讓年青的讀者也可欣賞得到，希望大家喜歡。

打開本書，一齊進入令人心顫膽寒的猛鬼迷離世界，與惡靈對話！你心臟負荷得了嗎？夠膽接受這挑戰嗎？

香港猛鬼札記。捌

降頭邪呪殺無赦

書名：降頭邪咒殺無赦
作者：鬼差
出版：靈媒體 (超媒體出版有限公司)
地址：荃灣海盛路 11 號 One MidTown 2913 室
出版計劃查詢：(852) 3596 4296
電郵：info@easy-publish.org
網址：http：//www.easy-publish.org
香港總經銷： 香港聯合書刊物流有限公司
圖書分類：靈異故事
國際書號：978-988-8670-38-3
定價：HK$68

Printed and Published in Hong Kong

揭開「降頭」
殺人於無形的恐怖真相

降頭，令人聞之色變！

你不可不信，不可不防，否則，隨時死得不明不白……

你知不知道……

只要取得你的指甲、頭髮或皮屑，降頭師即可施降，令你生不如死！把無色無味的特製花粉、屍油、蠱卵放入食物飲料中，或悄悄塗在你皮膚上，你馬上中降！

本書作者用了一年時間，搜集了東南亞大量降頭術的資料。作者首先引述本港多宗疑似中降頭慘死當場或變瘋變的事件，再分門別類帶出幾十種形形式式的降頭術，種類如下：

1. 最邪惡毒辣陰損的鬼仔降：

   鬼仔降最陰邪，鬼仔有眼無珠，不分是非黑白，只聽任降頭師的命令行事，鬼仔一發難，你立即家破人亡、身敗名裂，被死更難受……

2. 唔聽話就爆肚而死的百毒蠱降：

   降頭師利用蜈蚣、蜘蛛、毒蛇之類的毒物，配合咒語後製造出各類的蠱毒降，中降者一唔聽話，立即爆肚慘死，死狀恐佈！簡直是要你幾時死，就幾時死……

3. 完失喪失理智、任情人擺佈的情降：

   降頭師透過針降、鉛降及頭油降三種，令你理智盡失，為壞情人千刀萬剮、死心踼地，任由擺佈……

4. 馬上暴斃兼死狀恐怖的死降：

焚燒屍油和萬千蠹蟲產生大量黑煙，你只要吸一口，即輾轉哀號而死，無藥可解……

5. 餘生受盡精神肉體折磨的聲降：
   降頭師運用大量咒語，使中降者產生幻聽、幻視，最後因抵受不住騷擾而致精神分裂。此降不會奪命，但足夠令你求生不得，求死不能……

6. 豬扒變身萬人迷的迷降：
   迷降的秘方有很多種，包括塗特製花油、用特製花瓣沖涼、攝心術、公仔和合術、經血和合法等，令你人緣運大增，人見人愛，車見車戴……

本書作者又帶大家直擊迷魂降、飛針降、花降、金寧降、散髮降、奇幻術、逢迎降、符降的落降方法，包括用料、製法和施法。另有鬼仔降的製作過程、養鬼術，全部過程絕密公開！

作者又會教大家分辨是否中降，被人落降的病徵。萬一不幸中降，也非必死無疑！書中的「降頭術破解法」可以用來救命，原來這些解降招式對住在南洋的人來說是基本的求生常識，家家戶戶都會奉之為平安寶典呢！

無論大家是否相信降頭的存在，為了自己、為了家人朋友的安全，最好寧可信其有，仔細研讀一下！

警告

降頭，神秘而恐怖！毋須武刀弄槍，毋須雙方對戰，降頭師只要你一根頭髮、一撮指甲碎屑，你的出生時辰八字，即可施降把你弄得死去活來，要你活著受盡精神煎熬和肉體痛楚又得；要你馬上暴斃並且死狀恐怖核突又得！

降頭——一個人人聞之色變、唔敢提又但好想知的話題！本書作者就是要滿足你對降頭的好奇。本書內容主要是介紹歷來疑中降頭慘死的個案、降頭的由來、降頭的種類，以及坊間流傳的落降和解降之方法，其中落降的方法只供讀者參考，本公司反對任何使用邪術害人的行為；而書中所述之解降方法，只是民間偏方，很難證實其功效。若有人懷疑自己中降，或已經不幸中降，要盡快向法力高強而又有德行的法師解救。

CONTENT

懷疑中降慘死實錄

降頭的由來

降頭大揭秘

直擊法師施降方法和步驟

CONTENT

CONTENT

南洋邪術降頭的猛鬼傳說

中降後 18 招急救大法

防降護體心經

慘死實錄

懷疑中降

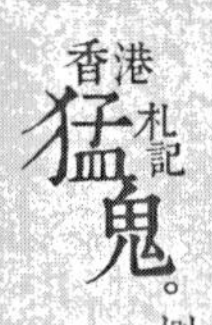

電視台溝女王中降爆肚亡

南洋一帶，流傳了不少降頭術。但最令人聞之色變的，莫過於蠱降。看到蟲蛀人體，腸穿肚爛而死於巫師之手，令人有毛骨悚然之感。

1976 年電視台某高層怪病死亡事件，更是哄動一時。因為有傳他死後有蟲由體內爬出，所以不少人指他早已被人落下了最毒的蠱咒，令蠱咒之說更添神秘色彩。

在現實生活中，對蠱咒之說多是繪形繪聲，最常見的是中蠱者在死後，有成千上萬的蟲子由體內湧出，死狀可怕。因此不少人對蠱術都採取敬而遠之的態度。而該高層中蠱降而亡的傳說，更在娛樂圈中傳足 30 年。

小蟲由切口爬出

1976 年，某電視台高層因病突然暴斃，惹來不少揣

▲小蟲從傷口處傾巢而出

測。當時有報章指他發病初期，右邊胸部突然出現痛楚，入院留醫時，經醫生初步檢驗，疑患膽石，但開刀施手術後，卻發現所患的並不是膽石，據聞所患之病症是蘊藏腸內之細菌，極難消滅。醫生雖曾試用抗生素，可惜仍然無效。雖然曾進行開刀割腸手術，但病情反覆，終告不治。

當該高層病逝後，便流出種種傳聞。曾為該高層解剖驗屍的人員指出，當他們一割開死者的腹部，刀還在切口之上，便有數之不盡的小蟲從切口活生生地爬出來。場面噁心得令在場人員嚇得死去活來，有傳聞更說死因是他中了蠱降之一的「情降」。

疑被南洋女子落情降

對於該高層的中降之說，一直流傳了多個版本。更有人說，他生前曾到過南洋工作，在當地認識了一名女子。由於該名女子深愛著他，希望可以留住他的人，所以暗中找巫師為該高層落了蠱降，最後該高層便是死於「情降」之手。這傳聞的真假到現在也未能證實。

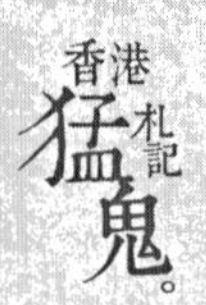

千億探長中情降，窮困潦倒失救亡！

七十年代，有一個鼎鼎大名的風雲人物，職位是華人總探長，統率全香港華人警察隊伍。有傳，總探長疑中降頭，害得妻離子散。傳聞是真是假，很難證實，我們且當一則故事來聽聽也無妨。

風光時，身家過百億！

這位風雲人物雖然只是中學畢業，卻有語言天才，會說七種語言。任職期間，破獲過許多大案，得過政府獎章，只要他怒喝一聲，不少黑道人物都會震懾。

霉運接踵而至

香港廉政公署成立後，以財產與收入不符的罪名，將

▲中了降頭，即使僥倖沒有死去，也會潦倒一生，頭頭碰著黑！

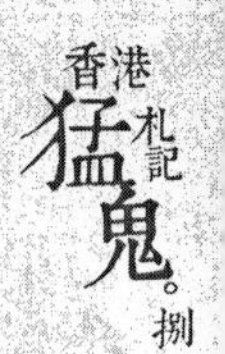

他控上法庭，並凍結了他貪污所得的一億多元，和香港與海外的多宗物業。當時的一億元，價值至少等於現在的一百億。但他老時住在一間破屋，與妻兒要政府接濟，究竟一代探長何故落得如此潦倒？

這位年老的前探長夫人，說自己曾經拍過戲，與多位著名影星合作過。

被壞女人落降，家財盡散！

據知這名總探長，婚後仍風流成性，曾與一個女子有染，自此便家無寧日。因為這個女子會落降頭，原配盲眼，探長中降後，終日要戴著一隻戒指，否則便會週身不適。

這個女子心腸狠毒，控制著探長的生命。之後，探長的財產便陸續轉移到她的手中，在泰國的投資又損失慘重。後來，探長為了逃避那個女子的控制，逃往南美洲多明尼加，花了幾十萬元醫病和解降頭。

華探長顯赫一時，卻不得善終！

到了 1989 年，探長哽痰去世，他死時沒有一個親人在身邊。

樂壇世紀懸案：巨星中降自殺之謎

2003 年，一名受萬千歌迷愛戴的樂壇巨星在中環某酒店二十四樓跳樓身亡，他自殺的消息震驚全港及海外華人社會。

多幻覺疑自己遭人落降

巨星自殺的消息令原本深受非典型肺炎時間困擾的香港，被濃濃的哀愁籠罩著。不少人竊竊私語，企圖找出這位超級偶像突然尋死的原因。

消息指出，巨星跳樓前，曾到醫務所取驗身報告，因不能面對結果，相約好友在文華東方酒店大堂見面的他，最後控制不住激動情緒，在酒店二十四樓一躍而下，了結生命。不過他情緒失控亦或與他中了降頭有關。

據巨星的生前好友透露，巨星曾經告訴他被人落了降，但朋友的勸解未能令巨星釋懷，精神日趨萎靡，在過去一年不斷四處找高人解降。據知，他曾兩度前往泰國解降，但最後都是失望而回，並且遭身邊人指摘，認為他太敏感。不過，在港終日鬱鬱寡歡的他，仍然希望可以找到高人指點迷津。可惜，高人沒有出現，他已經了斷餘生……

據說，蠱降可以令中降者不能離開施降人，如果不及早解降，中降者情緒會不斷受到困擾，後果堪憂。

五台山美女中降才瘋癲？

說起有「靚絕五台山」美譽的昔日某花旦，大家都不聲唏噓。此美人曾是無線當家花旦，但從上世紀九十年代末開始，美人就不斷傳出精神失常的新聞，更多次進出精神病院，被報導為娛樂圈的「瘋婆子」。

昔日靚絕美女，今天淪為瘋婦

直到今天，她的精神狀況都一直沒改善，甚至連生活也潦倒之極，成為香港有史以來首個需要申請政府援助的藝人。

疑被友人出賣，灌頂時被落降

一代紅伶如此潦倒，怎麼看都令人不忍。慨歎紅顏薄命之餘，不免也要問幾句為甚麼。美人當年為甚麼會發瘋？究竟發生了甚麼事情？據知美人身邊一名好友透露，十幾年前，美人曾跟香港富商的兒子拍拖，當時富家子還買了一個海邊豪宅給她，兩人感情相當好。

有一次，美人和男友以及一個跟他倆都很熟的女性朋友，同去尼泊爾找一個喇嘛給他們灌頂。

據知，當時那個女人和喇嘛買通了，在給美人灌頂的時候下了降頭。美人從尼泊爾回來後，不知為甚麼性格就變了，整天跟男友吵架，結果他們就分手收場。後來那個女人竟然就跟美人的男友好了起來，最後還結了婚。

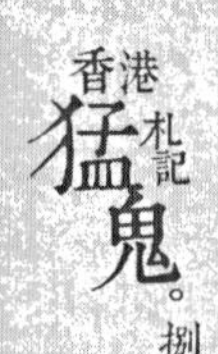

最令僱主悯嚇驚心的降頭

以下兩則新聞，當中的主角沒有中降身亡，但相信已被嚇至半死，餘生也要活在陰影下！

個案一：經血炒菜，令主人從此聽聽話話！

早前一名印傭疑受女僱主責罵，為使女僱主變得親切，竟以經血炒菜饗僱主，惹來全城震驚！

原本希望以此令女雇主變友善

該女傭受聘於香港一名姓莫女雇主已有約兩年時間。但是兩年來，僱主對她的工作並不滿意，經常責 她。

一天，女主人發現女傭在炒菜時行為古怪，於是進入廚房查看。不看不知道，一看嚇一跳。只見鍋中竟有血液凝固物，而在垃圾桶中還有女性使用過的衛生巾。僱主震驚之下趕忙報警。

警察到場後，這名女傭承認，她確實將經血混入飯菜中，目的是希望令女僱主變得友善和減少對她的訓斥。

警方將女傭帶走，並以「意圖損害而施用有害物品」的罪名指控她。隨後政府對涉案物品進行了化驗，而香港律政司則從法律的角度，對警方的指控進行了思考。

作為控方的香港警方，表示徵詢過律政司，考慮過化驗結果以及醫生的意見後，認為不能證明經血對人體有害，不符合控罪元素，所以撤銷控罪。而被控的女佣也被當庭釋放。

不過也有醫生指出，將經血混入飯菜不衛生，如果血液未完全煮熟，並且含有艾滋病菌、乙丙型肝炎的話，食用者也有可能通過口腔傷口感染疾病。

個案二：花粉煲湯，圖令主僕關係改善

本港早前一名印傭疑受女僱主責罵，為使女僱主變得親切，竟以經血炒菜饗僱主，惹來全城震驚，更成為東南亞大新聞。事隔不久，香港又爆出一宗傭人落降博僱主歡心的新聞！

話說，一名女傭為改善與僱主關係，不惜求助家鄉的丈夫，寄來一包紅色花粉，用作落「人緣降」，女傭企圖將花粉混入飲品或湯內，給僱主全家飲用，但被醒目僱主識破，即時將該印傭解僱，僱主慶幸避過被落降，他亦對印傭失去信心，不敢再聘用。

據僱主表示，女傭上工後表現欠佳，經常擅作主張，又多次未經批准進入主人房睡覺，兩夫婦已多番警告她，凡事均要預先請示，不可任意妄為，但情況一直沒有改善，主僕關係早已埋下禍端。

一天，丈夫在信箱發現一封信，誤以為是自己的，於是將信件拆開，發覺是女傭信件後心感不好意思，已準備向印傭致歉。不過，他見到該信附有一包花粉，覺得有可疑，於是，將信件交給印尼華僑友人閱讀。

信件是傭人的丈夫寫的，信中表示附上一包紅色花粉可用作落降之用，「施法」的時間要揀正午十二時，加上

特定咒語，然後將花粉混和飲品或湯內，給僱主飲用，便可改善主僕關係，僱主會對她「聽聽話話」。

僱主兩夫婦得悉女傭如此心術不正，更有行動準備落降頭，與女傭即時解約。接著，即時帶同兒子作全身檢查，證實無大礙始放下心頭大石。但經此一役，兩夫婦對印傭失去信心，寧願叫其他親戚幫忙照顧孩子。

花粉降令僱主聽聽話話

有法師表示，利用花粉的降頭術，可使老闆對施降者百般喜愛及信任，此降在馬來西亞及印尼一帶十分普遍，性質十分溫和。另有威力百倍的降頭，將自己的陰毛或者經血燒成灰，施咒後給被落降者飲用，令老闆錫曬你。

據知，人緣降在馬來西亞及印尼等地十分普遍，花粉給上司食用算是最輕微的降頭，倘若是心術不正，更會以人形公仔施降，對被落降者造成的傷害更大。

有些打工仔直情取老闆的頭髮指甲施降，頭髮指甲有特定的DNA，獨一無二，包無落錯降。做法是將頭髮指甲放在人形公仔內施法念咒，控制他思想行為。另外亦可以將自己的陰毛或來月經第一天的經血燒成灰，給被落降者飲用，同樣可以操控他的心靈。

移情別戀馬上死無全屍

從來，東南亞國家都傳聞有很多迷信的風俗，特別是所謂的巫醫。巫醫的能力小至治病，大至下降頭，一應俱傳。

生病只請巫醫治療

馬來西亞人對血的迷信，他們深信血是一種邪物，落在不法之途手上的話，小則大病一場，重則有生命危險。這是與巫醫下咒，也即是降頭有關。的確，在這個年代依然有巫醫的存在，他們大多被稱為 (Witch doctor)，現在老一輩的，或是思想守舊的人，依照不相信科學，生病也只會請巫醫治療。馬來西亞的友人更說：巫醫的能力是一般醫生比不上的，不過，巫醫不是見人就醫，聽說是講緣份，友人說他們並不難找，不過，法力愈高，愈不會隨便「接生意」。也就是說，巫醫也有分小巫與大巫對於治療過程，當地風俗不向外人提及，沒有更詳細的資料。不過，從他口中得知，不需要吃藥打針，病也會好，實在有點不可思議。

馬拉女人不用衛生巾

此外，傳統的馬來人是不會用現代的衛生巾而用布，需要更換的時候，就將布脫下來用水清洗，洗至一點血痕也沒有方可丟掉，不然，邪靈會透過血附在你的身上。

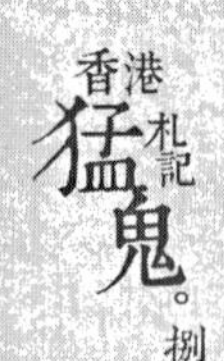

在馬來西亞，很多馬拉女人會在廁所中洗淨自己的血巾，洗淨的還會另外會膠袋密封丟掉，所以，每有經期的女孩子通常也會請假，洗一條巾也用上半小時，通常是流量最多的兩三天，當地學校早已見怪不怪，最近還推出女廁專用的洗巾機，以改善少女請假的情況。

用經血催情

關於血降，馬來西亞有一則傳聞：

話說，有一位樣貌長得普普通通的少女，愛上該校的校草，但是俊俏的校草身邊總有美女相伴，那個女孩實本不能接近他，即使接近了也不會得到校草的垂青，為了令那個校草只愛自己一人，女孩尋求巫醫的幫忙。

少女付出的代價是自己經期的血，用那些血來煮飯給那個男人吃，大家也會覺得奇怪，血煮出來的飯，又腥又紅，那個男人怎可能不知道，但是，巫醫給了少女很多奇怪的材料，混了血的米煮出來竟然是白色的，而且香氣撲鼻，令人食指大動。

結果少女成功給了那位校草吃，自此之後，那位校草就像著了魔一樣，只愛那個平平無奇的少女一個，但是，少女的代價是一輩子也不再愛別人，否則死無全屍，不能轉生。

遭情敵落降慘死當場

據聞，數十年前，夏威夷人中死降的人很多。

健康青年，離奇死亡

有病理學專家親眼看見一個健康的年青夏威夷人離奇地死亡。

這青年人安靜地睡在地上，顯得並沒有甚麼不安的樣子。這病理學家問他的病狀，他只簡單地說：「我就要死了，我已經被人下了降頭術呢！」

據說，這是青年人的情敵所幹之「好事」情敵。情敵含恨在心，設法弄得他的頭髮和指甲，去找一個住在森林裡的巫師，求他替下降頭。

巫師下了死降

那巫師把頭髮指甲，放進一個特別安置的碗裡，用木

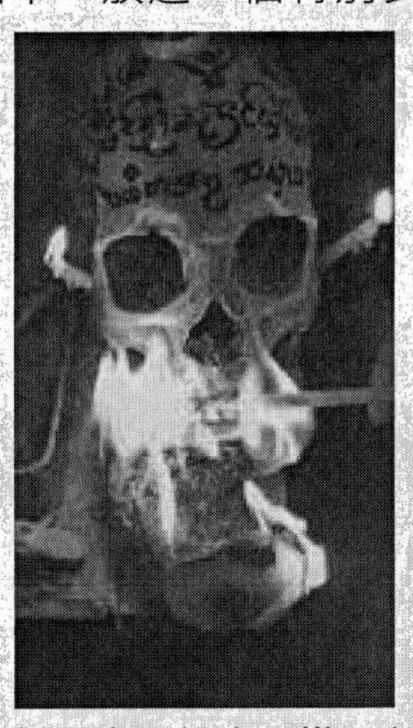

▲中了死降，如同患了絕症一樣，必死無疑！

槌子把它槌搗。

這個碗子是一個細小的石製神壇的上面，巫師坐在神壇前面，開始祈神，深深地吸了一口氣，喃喃地念起咒語來。

他把死降落到那青年病者的身上，跟著他陷入半昏迷狀態。等到醒過來之後，又作第二次的禱告，如此，足足做了五六次。

不久，這青年便病進了醫院。

經過醫生病理學家檢查身體健全無病，但不數日，這青年的病者死了。

降頭的由來

降頭術從哪裏來？

降頭，令人聞之色變；

人真奇怪，越驚越想知，越驚越想睇！過去降頭、巫術的影片很多，每套都吸引了不少觀眾真金白銀入場收看！以下哪套你曾經看過？

重案組探員樂民，受命隻身遠赴泰國，調查香港黑幫與當地犯罪份子案件期間，在夜店邂逅美艷女郎阿麗，二人迅即打得火熱。樂民突接命令返港，離開阿麗，樂民承諾會再到泰國找阿麗，但卻一去不返。阿麗感覺受騙，傷心欲絕。樂民未料一段霧水情緣竟帶來意想不到的惡果......

阿邦、阿江、阿南和 Kenny 是共患難的好兄弟，一次連袂往泰國旅行，在偶然的機會下，阿邦無意幫助了降頭師乃蜜把另一降頭師擊退，乃蜜邀請四人回家過宿，而乃蜜的妹妹水抹對阿邦情有獨鍾，要乃蜜對阿邦下愛情降，誰料竟下錯於其餘三人身上，弄得水抹羞憤而死，惡夢便從此開始......

影片圍繞著一個家庭遭到情婦利用「黑色巫術」復仇的故事，故事講述一個百萬富翁全家人被神秘而詭異地殺害，沒有留下絲毫線索，警方無法找到可以指證的兇手。一位記者參與進行此案的調查，發現一個美貌的女人十分可疑......

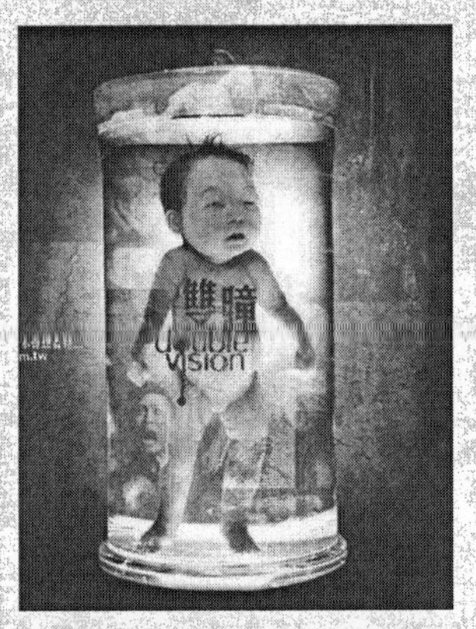

令人震驚的案件發生了。警官黃火土發現有兇手按照一種古老罕見的道教圖示來殺人，藉由將作惡的人送入五種殘忍恐怖的地獄受刑，來達到長生不老的目的
他誓要把兇手繩之於法，但到底他尋找的是個邪惡的殺人犯還是一個索命的鬼魂？

香港記者趙力雪趁假期到馬來西亞欲採訪降頭師何炳，並找當地的舊同學王偉明幫忙。豈料何炳心術不正，雪與明先後都中了降頭術，幸虧得到另一降頭師幫忙解降。雪心有不甘，暗中偷入何炳處換藥，使何炳吃到苦頭，大怒，找人追殺雪與明二人，並擄走明母。雪與明得金師父和另一位師太幫忙得脫，四人後到何炳的幽靈山莊將明母救出，何炳終作法自斃。

流傳南洋一帶的降頭術，家傳戶曉。舉凡孩子啼笑反常、夫婦口角反目、丈夫別戀、家庭骨肉不睦、老幼奇異病痛、精神病狂、財運停滯、事業不振等，人們都會跟降頭扯上關係，甚至要求降頭師作法醫治。

「降頭術」是一種神奇的巫術、邪術。它會使一個人離奇地死亡。在菲律賓、夏威夷和澳洲及國外等各地，中了「降頭術」而離奇死亡的人很多，醫生在檢查這些人致死的原因時，大都感到莫名其妙，因為這些中降而死的人，原本都是健康的，而事前也沒有甚麼疾病的病徵。

一般人找降頭師下降的目的，通常只有三種，即謀財、害命（報仇）及催情，不管是何種目的，都必須先拿到受降人的生辰八字才能下降。

為甚麼呢？

因為這類降頭術通常會對受降之人造成某種程度的傷害，甚至送掉一條性命，是不折不扣的邪術，所以一定得拿到對方的生辰八字，否則降頭的威力會大大減低，或根本無法產生效果。

降頭術是從印度傳來？

據民間傳說，降頭術是從印度教傳來，當唐朝三藏法師到印度天竺國拜佛取經回國時，路過安南境內的通天河，即流入暹邏的湄江河上游，烏龜精化成船隻接載唐僧，船到河邊即原形畢露，把唐僧拋進河底，但唐僧大難不死。

雖然唐僧僥倖逃過一劫，但所求的經書卻沉入河底，

▲印度是降頭術的發源地？

徒弟急急潛入水中欲把經書撈起，最後僅取回一部份大乘的「經」，另部份小乘的「識」則沒入暹邏。

聽說這部「識」，就是現在的降頭術。

降頭術是來自中國雲南？

另一說法，這部「識」的正本，流入雲南道教的道士手中，遂創立一派「茅山道」，茅山的法術和降頭術因此而來，而手段比較高強，所以有人說，暹邏的降頭術，是從中國的雲南傳入的。

茅山才是正宗降頭術發源地？

又有人說，暹邏的降頭術，是「識」的膺本，或手抄副本，其中缺少許多正術，所以工夫比較茅山為弱。

中國古書記載：「茅山」是中國江蘇省，句容縣東南

▲明媚的雲南風光背後卻是無數巫師聚居的地方？

的一個山名，原名是「曲山」，漢朝的茅盈和他的兩個弟弟茅裡，茅固來此山居住，世人稱他為「三茅君」，並稱這山為「茅山」，茅山術就是三茅君所創的，又名「玉女喜神術」。又有人說：茅山術是張天師「五雷正法」以外的道家另一支派，亦即是「南法」的一種。那個「圓光術」「祝由科」等術，都是這茅山的術法。

到了宋朝，宋人筆記中，頗多關於茅山邪術的記載，可知當時茅山術是相當流行民間。此後華僑南渡日多，就利用它來抵禦「降頭術」的侵害。

根據中國歷史記載，茅山法術在漢朝發明，依傳說：降頭術是唐三藏西天取經，取回沉遺的「讖」。不管它是否屬實，可見降頭術的發現，較之茅山術為後，由此，我們可斷定茅山術必較降頭術為高明，是理所當然的。

降頭之蠱術和呪語

古代相傳「降頭」可分「蠱術」與「咒術」兩種。

自古相傳的「降術」其實大致上可分為「蠱術」與「咒術」兩種。

降頭之「蠱術」

「蠱術」是一種以控制毒藥、毒蟲為主的「降術」，修行此道的「降頭師」必須精通飢養各種毒物的法則。

步驟一：提煉毒汁，餵飼毒蟲

他們先用秘法把蜈蚣、毒蛇、毒蠍、蜘蛛、毒蟾等五毒的汁提煉出來。

然後再把這些含有劇毒的毒汁放在一甕裡，每天再去捉些蜈蚣王、眼鏡蛇王、毒蠍王等毒物，丟入甕內讓這些毒物在有激烈毒汁的小甕中互相殘殺，直到兩敗俱傷死在這密封的甕裡為止。

步驟二：迫使毒蟲互相殘殺至死，化成無數小毒蟲

毒物之王在甕中死亡後，其屍體就會慢慢腐爛，而變成了許多小毒蟲，這些毒蟲因每日吸食甕內的毒汁，所以本身已充滿五種不同的劇毒，「降頭師」稱這種含有劇毒的毒蟲叫做「蠱苗」，也就是「蠱」的幼苗。

最後做「蠱」的降頭師，就會採用自己的秘法，製造出一種能克製這種毒「蠱苗」的藥物，以便日後能控制「蠱」毒的發展，從而操縱中「蠱」的人。

步驟三：再迫使小毒蟲互相殘殺至死

「降頭師」把控制「蠱苗」的藥物製好後，就再度把製「蠱」的甕密封，讓「蠱苗」在製「蠱」的甕中接受飢餓的洗禮。最後他們必定會應了天地的自然法則，那就是「弱肉強食」，大「蠱苗」因飢餓難當而吃了較小的「蠱苗」，就這樣互相吞食了好一段日子。

步驟四：廝殺後未死者就是集劇毒精華的「毒蟲之王」

製「蠱」的「降頭師」把密封了多時的甕重新打開，這時甕中只剩下一條經過許多劫難而僅存的「毒蠱」。這條含有一切劇毒精華的「毒蟲」，就是「降術」中最為著名的「蠱」毒了。

步驟五：降頭師用「毒蟲之王」害人

到了這個步驟，「降頭師」可以把「蠱」毒藏在身體各部份，下毒害人致仇人於死地。

「降頭師」把「蠱」毒蟲培養出之後，再把他們烘桿，煉製成粉末，收藏起來以便隨時採用。這種專門以下「蠱」為業的邪派「降頭師」，通常都把「蠱」毒隱藏在身體的各部份，如指甲縫、手鐲內、戒子上、或項鍊等飾物上，有的甚至把「蠱」藏在衣角、頭髮或是內衣褲裡等等。下「蠱」的「降頭師」通常都會趁目標不注意時，把「蠱毒」滲入他們的飲料或食物中。有的甚至還可以把「蠱」毒變成煙霧，灑在空氣之中，讓「目標」自動把「蠱」毒吸入體內，令人防不勝防，無從躲避。

降頭之「咒語」

相傳有一種比「蠱」更厲害的「降頭」，叫做「咒術」，這是能殺人於千里之外，而且不用刀槍利器的「邪門法術」。

邪門秘咒＋惡毒念力＋陰靈

這種法術主要是利用自古流傳下來的「邪門秘咒」再加上「降頭師」本身的惡毒念力，從中操縱黑暗中的「惡靈」與「孤魂野鬼」。然後借這些惡鬼的不滿與仇恨對人類發揮最大的「詛咒」，從而使受「詛咒」的人，產生意想不到的後果與惡報，有的「意外身亡」，有的「喪生意志」，更有者七孔流血，死了也不知發生了甚麼事。

常聽人說的「迷心降」、「攝魂咒」等等，相信就是與此類「降術」有關。總的來說「降頭」中的「咒術」，是一門利用「陰靈」與「念力」的集中，所產生的一種對人類的惡毒「詛咒」。這種超意識的「詛咒」是一種可以通過腦電波的感染，由「降頭師」傳到被施「降」者的身上，從而控制「中降」者的心態與行動，使他做出超乎常人的動作，嚴重者甚至會使被咒者「神經錯亂」或無故「自殺身亡」。

自製邪物，加強殺傷力

施行「咒術」的「降頭師」，有時為了要加強本身的「惡毒」邪念，於是就製造了木人、草人、布人等等，再加上鐵釘、繩、尖刀和各種醜陋與安葬的邪物，加強自己的「邪念」，把它當成是自己所要「詛咒」的「目標」，從而更深一層加強本身那「惡毒」的「意志」，使「降頭師」那顆害人與狠毒的「心」，能與陽界的「惡靈」合而為一，使受害人生不如死，重者必當場喪命。

降頭之「催降」

「催降」——「降頭」中的高深邪術，可令人身不由己！

在南洋一帶，還有一種較前者複雜與高深的「降頭」，叫做「催降」。降頭師本身必須具有深厚的定力，而且還要精通以上所提到的「降頭」絕學，同時還要能控制與配合以上邪術融合起來運用，使「降頭」技術的另一個高峰境界。

「催降」是「降術」中一種最可怕的高深「邪術」，他不但可令中降者身不由己，永遠成為「施降」者的浮虜，屈服在「降頭邪術」的魔掌之中。這種「邪術」是先向「目標」下「蠱」，讓他或她先把「蠱毒」吃下，然後再用自己的精神集中力控制「蠱蟲」隨「邪咒」念力的波動而發作害人。

這種「催降」不論你逃到千里之外，只要下降者心血來潮，集中意力誦念「邪咒」，你體內的「蠱毒」就會立刻發作，輕則可使你當眾表演「脫衣舞」，或做出種種超乎常人的舉動等，重則可令你「七孔流血」，有時甚至會「暴屍荒野」呢！

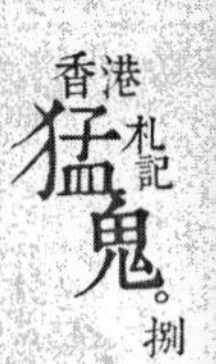

泰女身上的用品全是「降術」

近來新、馬一帶忽然出現了許多世界級的「降頭師」，引起了各界的注意。一時熱鬧非常「降頭」滿天飛，令聽者「毛骨悚然」，甚麼「迷心降」、「鎖心降」、「愛情降」、「月經降」等等。

尤其是「月經降」，聽說是用女人的月經烘干，然後再磨成粉末加以念咒製成。這種「降頭」是專門用來對付男人的，也是泰國「妓女」專門用來對付「嫖客」的，聽說只要這位嫖客吃了少許，這種所謂的「月經降」，他就「一心一意」、「死心塌地」的愛這一位妓女，而且還會永不變心。

降頭普及化？

「降頭術」集合了「祭練」、「施咒」、「養鬼」、「施蠱」等四大基本功，每位降頭師各有其專長，全能的甚少，傳聞，有位降頭師為了增強自身的法術功力，自己動手殺害小孩並將其祭煉成童鬼為自己辦事，由於降頭師身上刺滿經文，童鬼無法向他索命只能任憑驅使，童鬼怨念愈積愈深，降頭師的辦事功力也愈來愈靈，只要客戶出得起價錢聽說成功率高達 100%。

養鬼功力愈高，降頭法力愈強

降頭術是一種驅使鬼魂辦事的法術，降頭師法力高下的先決條件必須要先看他養鬼功力高不高、鬼魂多不多，養鬼功力高，鬼魂自然身強體壯、百戰百勝，能夠左右中降者的意志，使中降者無法控制自己的意念；如果中降者意志力超強，那麼降頭師就會驅使更多的鬼魂使用車輪戰，每天 24 小時不停的攻擊中降者的意志，直至崩潰瓦解達到目的為止，這個道理就如同你趁你意中人熟睡之時，不停的在他耳邊說：「你最愛（人名），你最愛（人名），你最愛（人名）」，第二天他醒來後就會對你產生莫名的好感一樣道理。

台灣信奉降頭者眾

在台灣，相信降頭術的人越來越多，也越來越年輕化，

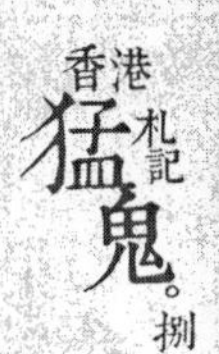

多半都是為了感情問題而尋求協助，當然，被騙財騙色的也很多。因此，如果你遇到感情問題，首先要反省自己，而不是一味的求神拜佛，否則很容易成為「神棍」眼中的肥羊！

催情劑之一：愛情降頭油

愛情降系列的降頭術，花樣繁多，求降者必須準備對方的衣物、指甲、頭髮、生辰、地址及相片，缺一樣成功率便少一分。降頭師也會祭煉一種統稱「愛情降頭油」的聖物供求術者使用，價格視乎其「純度」而定，那是一種從由屍體下巴提煉的屍油，需塗抹在暗戀對象身上或混在飲料內讓他喝下，強一點的約三小時左右就會發揮效力；如果暗戀對象是敏感體質的人，他會出現一些身體反應，例如打咯、噁心、頭暈、身體發麻等現象。

催情劑之二：愛情屍油膏

另外也有一種「愛情屍油膏」，是由一對生前是情侶的屍體，取其內臟油脂所提煉，呈深深的墨綠色，味道很淡，塗抹於暗戀對象身上後再對裝著油膏的盒子說：「鬼魂啊！鬼魂啊！請讓我與（人名）就如同你們生前一般相愛，永不分離！」這時暗戀對象就會無故思念著求術者，很神奇吧！

催情劑之三：鉛降

但最可怕的愛情降莫過於鉛降了！

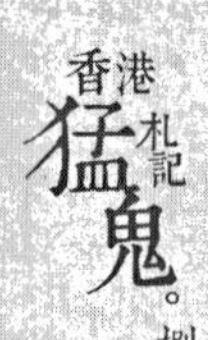

一開始降頭師會將一顆施術過的鉛粒種入求術者的體內，這時求術者只要對心儀的對象淺淺一笑，對方就會愛上你，但是求術者一輩子都不能變心，否則馬上遭到反噬而一命嗚呼！

每個降頭師都懂得飛頭術？

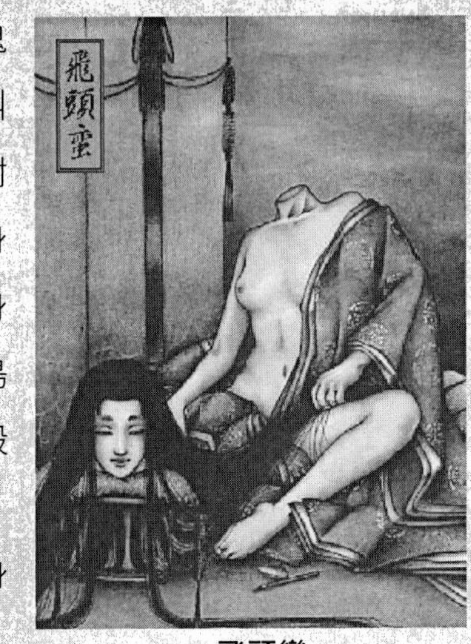

▲飛頭蠻

在日本經典名著《百鬼夜行》裡，有一種妖怪叫「飛頭蠻」，指人被妖怪附身後，頭在睡覺時會飛離身體，到處嚇人為樂，而附身的妖怪名叫梟號，是一種鳥的靈魂，一般會附在喜歡殺虜鳥獸、吃鳥獸的人身上。

「飛頭蠻」被梟號附身後在 7 天內會變成枯骨。

降頭師都懂得把頭飛離身體，但他們不是被妖怪梟號附身，而是修煉著一種名為「飛頭降」的功夫，降頭師會利用符咒、自身下降，讓自己的頭顱能離身飛行，達到提升自己功力。

降頭煉成：頭連腸帶肚，騰空而出

據說當降頭師修煉「降頭術」到成功時，他會將自己的頭連腸帶肚，一齊脫離腹腔，騰空而出，其飛如疾矢，咻咻風聲過處，便是降頭師的夜遊魂。他的靈魂出遊，必在晚上午夜睡時。

但有的說：凡是自己的頭，能夠脫離軀殼的，乃是術法煉不成功的結果，那叫「絲羅瓶」(暹語譯音)。

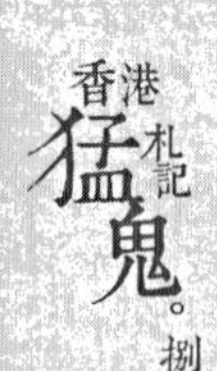

降頭煉不成者：無主遊魂，以童糞為食

如果降頭煉成功的，那就不會受身首異分的痛苦。因為這「絲羅瓶」每晚出遊，便變成無主遊魂，帶腸肚出遊，肚子時常饑餓，到處尋找小孩遺糞充饑。凡糞被吃的小孩，命運會衰敗，不死也病，或遭劫難。所以南洋人當小孩在屋外大便時，家長們便教小孩子在大便後，拾取小樹枝或草枝，打十字形，放置糞上；這樣「絲羅瓶」便不敢吃它。

「絲羅瓶」出遊，須要在雞啼及曙光未露前回來，過時便死。

「降頭術」練成功的術師，是一如常人，誰都認不出他奇特處。而「絲羅瓶」卻有一特徵，那是他或她的瞳孔中，沒有對方的倒轉人像。

喚一聲對方名字，對方立即暴斃

「降頭術」練成功的術師，他不會變成「絲羅瓶」，還可利用「絲羅瓶」去陷害一切的敵人。他們可偵查敵方的姓名、行徑，只要叫「絲羅瓶」到敵人家裡去叫魂，即叫一聲敵人的姓名，敵人立刻會死去。但如果敵人不應聲，便不應驗了。世人可能因為牠能夠飛出人頭，降入敵人家裡，喚召敵人的靈魂，所以稱它為「降頭術」。

而製練「絲羅瓶」的方法，須害死一童男，施以「降頭術」，驅使這童男的魂魄，連腸肚飛出空際，完成他的使命，這方法又叫做「人頭附肚童神」。

至於「降頭術」亦有另一個名稱，就是「狂頭術」，因凡是被「狂頭術」陷害的中術者，多數只搽上狂頭油，便馬上會發狂。因此，世人便稱牠為「發狂的降頭術」。

降頭大揭秘

最邪惡毒辣陰損的鬼仔降

之黑白雙煞的佛油仔

「佛油仔」泰文音譯為「叻養」，是一對用籐雕成約三厘米高的公仔，一黑一白，浸養在盛滿佛油的玻璃瓶內，瓶口繫有一條尼龍繩，可供收養者佩戴在腰間。

傳說當年有一對兄弟戰死沙場，但陰魂不散，經常在人間出現，後來被一高僧收服，並用籐雕刻了一黑一白的公仔，黑為兄，白為弟，世代以佛油來浸養。黑鬼仔的法力範圍是管理夜間事，包括避過官非、意外等；而白鬼仔則管理日間事，包括生意、姻緣及工作等等。

忘記餵食即遭懲戒

養「佛油仔」不用繁複的收養儀式，隨身攜帶便可。

▲佛油仔

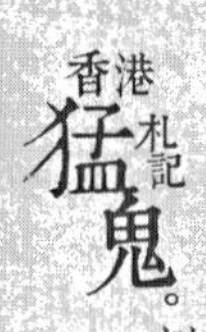

而浸養佛油仔的佛油經由泰僧提煉，有荷花香味，當佛油被吸乾便要添加。每天吃飯時都要擺多一對碗筷，食物也要預多一份給「佛油仔」，如環境不許可，也要將少許飯撒在上，否則會遭他作弄。而有事相求時亦很簡單，首先清潔雙手，用左手將玻璃瓶握在掌心，集中精神閉目祈求便可。

強橫霸道的鬼仔像

「鬼仔像」的泰文音譯為「古曼湯」，另又稱「金童子」，性質一如中國的招財童子。

相傳在泰北南奔府有兩兄弟，弟弟擅於理財兼人緣好，哥哥精於賭術但陰險狡猾，兩人十二歲便離世，分別成為善鬼仔和惡鬼仔。兩者只可擇其一收養，而且家中不得有其他神位，也要視其如小朋友一樣，除了細心照顧外，更要不時買些玩具及童裝來哄他們歡心。

鬼仔有眼無珠，不懂分善惡

善鬼仔公仔約高十多厘米，頭髮蓄髻，冇眼珠，下身以布塊遮蓋，赤足，雙手緊握一個錢袋在胸前。當地不少商人會在公司或商店的高處安放善鬼仔公仔，以三牲果品及每日定時上香供奉，便可保家宅平安和生意興隆。收養他一如養「佛油仔」一樣簡單，而且法力溫和。

▲鬼仔像

可達成你心願，但你要以條件交換

惡鬼仔公仔身高、樣貌、表情和善鬼仔一樣，不過全身赤裸，露出陽具，左手緊握一個錢袋，右手向前張開五指。惡鬼仔主橫財，法力強橫且霸道，經營偏門生意的多會暗地收養。對它有所求時，要在晚上九時上香，當香燒了約兩厘米而不彎曲時，即表示惡鬼仔已到位，此時可對它說出要求，但必須以條件交換。

易請難送的金鬼仔

「金鬼仔」又稱「邪鬼仔」。

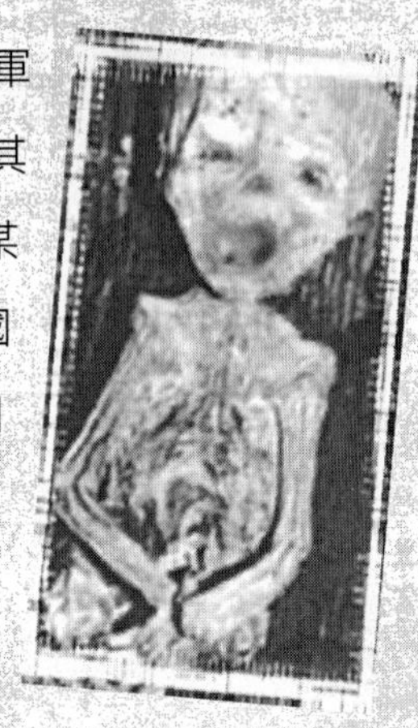
▲金鬼仔

乃古時坤平將軍所創，坤平將軍驍勇善戰，樣貌俊朗，妻妾成群，其中一名妻子更是鄰國將軍的女兒。某次坤平將軍接到命令要攻打妻子的國家，妻子便哀求丈夫不要出兵，他因軍命難違而拒絕，妻子便在食物中下毒，但他是天神化身，百毒不侵。他發現後，一時氣憤便殺死妻子，但事後才發現死去的妻子已懷有身孕，於是他便將死去的兒子製成乾骸佩戴在身。自此他便百戰百勝，每每能化險為夷。

要以人血供養

製造「金鬼仔」，法師會找一些胎死腹中或剛出世便夭折的嬰骸，燒乾後以其骨灰製成，在外邊鍍上金粉，其形態是全身赤裸，盤膝而坐，雙掌合十，由於法力強大，故法師在底部會刻上符咒鎮壓，而收養者每日都要以一滴自己的鮮血來供養。

唔講口齒，必遭噩運

「金鬼仔」能幫助收養者事業順利、招橫財、增人緣、

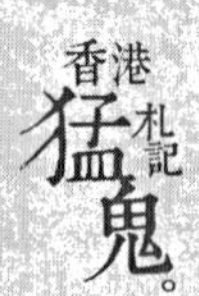

擋危險甚至加害其他人，但對它所作出的承諾一定要兌現，否則必遭厄運。

當不想再供養「佛油仔」及「鬼仔像」時，只要送回法師處並做一些法事便成；但「金鬼仔」易請難送，收養後可說是要養它一生一世。而且「金鬼仔」怨氣甚重，當想請它離開時，它會覺得供養者不再愛它也不尊重它，便會向供養者報復，輕則會運道不濟，重則家破人亡。

最陰邪的人胎鬼仔

人胎鬼仔是養鬼裡面最高階的東西，俗稱「養屍體」，就是養未出生的小孩子的屍體，養屍是很難的，必須經過很多複雜的手續，才能夠製造一個鬼仔。養鬼仔必須是要在意外死亡的媽媽，把肚子剖開，取出小孩，制煉 108 天。人胎鬼仔怨氣最強，所以師傅要經過很長的一段時間把人胎鬼仔磁場轉化，把人胎鬼仔的怨力消除。世界上最細小的人胎鬼仔只有成年人的大母指。由於屍體會變乾，所以人胎鬼仔比較一般的人胎細小。人胎鬼仔在台灣茅山道術來說要吸血的，在泰國的法術吸收的是牛奶、果汁、飯、菜、面，最基本的就可以了。

怨氣最強

「人胎鬼仔」的泰文音譯為「瑪呢加卡他卜」，是眾多鬼仔中法力最強的，在供養人胎鬼仔時，要將蘭花鋪在盤上，讓人胎鬼仔安坐或躺臥其中，法壇上除了香燭外，亦要擺放汽水、零食及水果來供養它，逗它歡心。

「人胎鬼仔」法力高強，能幫助主人達成心願，但要借助人胎鬼仔達成心願時，亦要付出代價，若事成後履行不到承諾，必會惹禍上身。

直擊人胎鬼仔的製作過程

養鬼仔又稱養小鬼，是指收養或製造夭折嬰兒或早逝的小孩的靈魂，然後以符咒邪術來控制他們，並會以體液(一般為血液)或食物來收養，養鬼仔主要來說以泰國為多，這種法術一般被視為邪術。

病死或意外死亡的嬰兒被製成鬼仔

「鬼仔降」是一種非常殘忍的一種降頭，而且其力量可使人死亡。一些心術不正的巫師，為了金錢肯幫人造這種鬼仔降！

鬼仔公仔皆有眼無珠，它們不分是非黑白，當法師以薄金箔貼在其額上開光後，鬼仔只會聽命於收養者。 鬼仔降的鬼仔，依我所知，其做法是：

步驟一：孕婦被破肚取嬰

巫師會捉一個大肚將生的村婦，活生生地將她破肚，取出死嬰和村婦的胎盤，村婦當然當場死去。

步驟二：嬰屍被燒製油，骨製灰

其嬰鬼就會給巫師用火燒製取油，其骨製灰。

步驟三：把魂魄收入公仔裡

然後作法把嬰兒的魂魄，收入黑木小公仔裡，然後把小公仔放進玻璃瓶裡，再把嬰兒的油加上製法，以其村婦的胎盤曬乾磨粉，連同墨汁等物料，在一塊大紅布上寫上

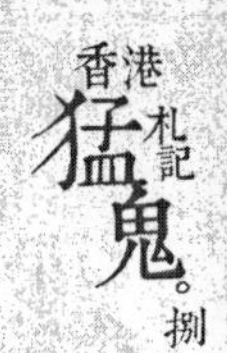

咒語製法，這是以後用於收製鬼仔的法器。

鬼仔被困，怨氣特強

所以這種鬼仔的怨氣，比一般的大出多倍以上，因為是人為所做，其母親也被殺，不能見到親母，還受到巫師的咒語所困，怨氣之高就是祂的力量，因而這種鬼仔是不會自願聽巫師，或購買者的話的，因此使用者往往要用這塊紅布，去迫使祂做一些主人想要做的事情，因為那一塊紅布，是可以使它永不超生的。

足本報道鬼仔像製作實錄

鬼仔降，是一種非常殘忍的一種降頭，而且其力量可使人死亡。而鬼仔的製作過程亦非常殘忍，據知有以下九個步驟：

步驟一：尋覓培育鬼仔的場所

此法修煉前，必須先物色一個寧靜而人蹤罕至的地方，以作培育鬼仔的場所，同時也得尋覓一株健全的柳樹幼苗。

步驟二：尋覓男性胎盤一個

尋找年齡十八至廿五歲之間的新婚婦女所出產的男性胎盤一個，並且須查明嬰兒的生辰、姓名、地址。

步驟三：埋葬胎盤，在其上植上樹苗

將取來的胎盤，入夜時分帶到覓定的場所，用預先做好的「栽培布符」把胎盤包裹起來，對準月亮的方向挖掘一個深約一呎的泥窟，而將胎盤埋入穴中，然後植上柳樹的樹苗，同時施予肥料並澆水，使這株樹苗能夠順利長大。

步驟四：念咒百遍

點燃白蠟燭一支，盤膝端坐於地上，手結「祭法訣」，專心一致，眼光注視樹苗，口誦「豢養咒」一百零八遍，誦畢即向月亮朝拜一次，才可取道回家，但一切的行蹤必須保密不可宣揚，此外，祭法更不可讓人窺見，否則必對練術者不利。

步驟五：施法七七四十九天

七七四十九日內，每晚入夜十一時開始，都須準時到這株樹苗前澆水與實行上述的祭法，風雨不改，不可中斷，同時應當小心保護這株樹苗，不可使之枯萎或莖折損傷等。

步驟六：悉心培育樹苗三年，風雨不改

於四十九日後，所有以上祭法的次數，可以改作七天循環一次，唯白天應不時到現場，以視察樹苗的成長，免其枯萎。不過如該樹苗已成形，就不用白天視察，隔天給予施肥及澆水，輔助其茁壯成長即可。

步驟七：當樹如親子，每七日例祭，每年慶生辰

這株樹一定要培植三年，在這三年之中，除了每七天循例祭法一次以外，每年在這個埋植胎盤嬰兒之日，須準備一些生日蛋糕或飲食品，燃白燭拜祭這株柳樹，並呼喚嬰兒的名字，再用黃布剪出的小布條，綁在莖桿上以慶其誕辰。

步驟八：誦經、滴人血培育樹苗

慶祝過其三歲誕辰後的第七天，在夜晚踏正十二時正，在進行過祭法後，術者便得砍斷柳樹的莖桿，然後應用縫衣針刺破右手的無名指頭，滴出七滴血，滴在樹桿上端，使柳樹吸取樹者的血緣，隨後則盤膝端坐，手結「祭法訣」，口誦「收魂咒」一百零八遍，誦畢，精神威嚴怒目注視樹桿，而在其七吋的下端，再以利刀砍斷之，取這一

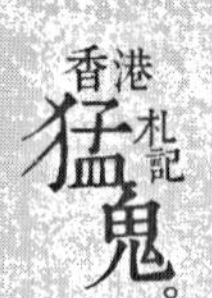

段樹桿，以黃布包裹備用，至於該株柳樹的下端連根處，樹者必須除之，而不能使它有復生的機會。

步驟九：用樹桿雕成孩童像

這段砍下的樹桿，在取回家以後，須擇雙日為其雕刻成一尊孩露身站立，高約五吋的塑像，同時五官手足須齊全，雕刻成後，術者取黑漆在其胸前寫下姓名及生辰，立於祖師壇下，晨昏各以鮮奶一杯供養。

用童屍製煉邪術降頭

暹邏養鬼術最常見的就是童鬼了！

一般降頭法師最愛飼養童鬼，因為童鬼聽話，容易驅使，不會造反，也沒有一般厲鬼的邪氣。但是童鬼祭練十分不容易，取材更是困難，所以童鬼價碼昂貴。

步驟一：挑選兩位剛死不久的孩童

首先降頭法師必須挑選兩位剛死去不久的孩童，年齡不得超過十歲。有道德的法師，就以高價向家屬交換屍體，通常只有貧窮家庭才會作此交易。但邪師通常不願花大筆錢作此買賣，並且於夜深人靜時，拿著鋤頭往墓穴裡收集兩位孩童的屍體後，就得馬上祭練。

步驟二：燒童屍下巴取人油

數位降頭法師拿著燃燒劇烈的臘燭棒，往兩個童屍下巴燒，約二十分鐘左右，孩童下巴開始滴出人油，這時法師立刻拿開 燭，手拿著瓷碗接著人油，一直到滴完為止。

步驟三：法壇前 24 小時祭練

這時法師必須開始拿這碗孩童的人油，放在法壇，開始二十四小時全天候不斷地輪流祭練，另一些法師也拿著兩具約 15 厘米長的小棺材，在旁不停念咒。

步驟四：把人油倒入小棺木

在小棺木中已放置兩尊木雕童像，(以兩棵不同顏色的樹，當地稱陰陽樹，雕出一黑一白的童像)，當祭練連續九十八天後，將調製祭練好的孩童降頭人油，分別倒入小棺木中，準備最後階段的祭練。

步驟四：冒煙後把童鬼像與降頭屍油收入瓶中

到最後祭練的階段，祭練者會全天候不斷念咒，通常到第三個七天，兩個小棺木會冒出白煙！這時要立刻將童鬼像與降頭屍油裝入同一瓶透明樽內。口中念咒，咒語大意是：天地靈氣，萬神皆敬；我發靈氣，無中生有；公比父母，鬼神皆厭；生你者我，創你者我；為人子女，服從首要。若有違背，不在供養！我此有令，永遠牢記！

祭練好的小鬼能替主人做何事？

通常歹多善少！如替賭徒行童鬼運財，搬光他人錢財；幫助淫師行迷魂攝魄術，施降頭讓美男子或女子心甘情願以身相許，滿足淫師色慾，進行違反常倫的野合。

降頭大揭秘

唔聽話就爆肚而死
的百毒蠱降

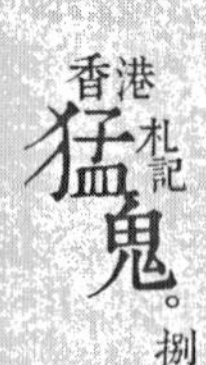

令人死得核突的五毒蠱降

在東南亞一帶盛行降頭術，特別是蠱降之術，更令人聞之色變。最普遍的是五毒蠱，所需之物包括有蠍子、毒蜈蚣及毒蜘蛛，並煉成下蠱之物。

身體只消輕輕一碰即中降

此種降是巫師採用植物、動物及有毒的昆蟲類，如蜘蛛、蜈蚣、蛇和蠍子等作為材料，透過巫術祭煉後，成為一種無味無嗅的液體或粉末，然後靜靜混入飲料或食品中，可令人無端端生怪病，或恍如被人牽引，嚴重者甚至出現神經失常或死亡。

▲降頭師利用毒蟲製造蠱降

降降頭師利用蜈蚣、蜘蛛、毒蛇……之類的毒物，培養出毒菌，再透過食物、飲水或直接附著在受害人的身上，即可達到下降的目的。這類降頭的潛伏期不定，快則數分鐘，慢則數年，全憑下降者企圖而定。中降者，身體會產生異變，若不能及時解降，肯定會死得很難看。一般我們在電影裡看到的降頭術，均屬這類的蠱降。下降的降頭師，毋需有多高的功力，便可使用這類的降頭，但也最容易被破。目前台灣的茅山派傳人，最會解這類的蠱降；萬一閣下楣運當頭，遭人下了蠱降，找茅山派傳人救命肯定不會錯。

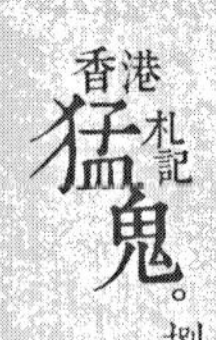

把人血吸乾的螞蟥蠱降

螞蟥又名水蛭，是環節動物門蛭綱的一類動物，螞蟥的頭部有吸盤，並有麻醉作用，一旦附著在人體，人很難感覺得到，螞蟥叮咬人或動物時，用吸盤吸住皮膚，並鑽進皮肉吸血，且吸血量非常大，是其體重的 2-10 倍，相當於本身的 5 倍左右。

螞蟥蠱源自四川彝族。

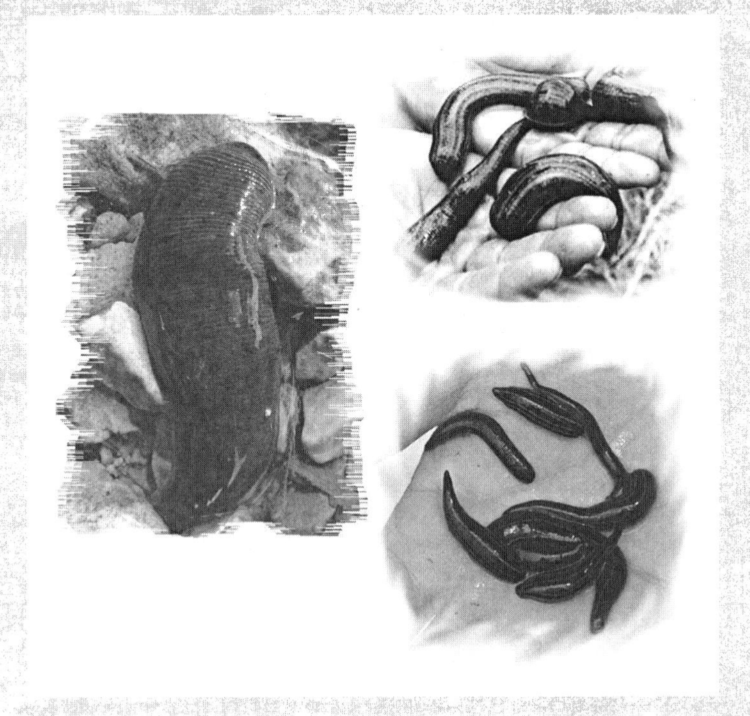

▲想像一下，一天你發現手腳滿佈專吸人血的螞蟥，你有甚麼反應？

蟎蟥蠱的製作方法

首先，殺一隻雞，剖開放在螞蟥最多的地方，螞蟥就會自動集中在雞身上來（身扁而黑黃色者為佳），然後把螞蟥曬乾研末備用，放在冷水、冷飯、冷煙杆、冷酒中給人吃。

也有人傳說，螞蟥末裡還要加血烏、雞蛋殼、人耳屎，意思是螞蟥源於血烏根部，而有相輔相成之功；雞蛋殼因含酸鈣，可減緩血烏毒；人耳屎則主要是增強毒性。

一旦吃進螞蟥蠱後，7 天內就出現腹脹、腹痛、腹瀉、血便、嘔吐；吃進酸、冷、豆告水、雞肉、母豬肉、綿羊肉、炒麵後，腹脹、腹痛、嘔吐更劇。

三四十天後，人瘦、神差、口乾，三四年後可死亡，病程可達 10 年。

把人肝臟吃掉的蛇蠱降

烏梢蛇俗名甚多，又稱過山刀、烏蛇、烏花蛇、烏風蛇、斷草烏、劍脊蛇等。多見於平原、丘陵地帶，也可分布到海拔 1570 米的高原地區，亦常見於農耕聒水域附近。以蛙類、蜥蜴、魚類、鼠類等為食。四川彝族傳說用此蛇製蠱。

蛇蠱的製作方法

四川彝族傳說中蛇蠱的製法，是把烏梢蛇倒吊在樹上，用細棍撣，任其擺動，下面用 9 個土碗重疊接起，蛇口裡流出弦涎、泡沫和血水入碗中，取滲透到第 9 個碗的毒液晾乾為末備用。放在冷飯、冷水、或酒裡給別人吃。一旦吃入蛇蠱後，兩天即感腹脹，繼而腹隱痛（此時表明小蛇已初步形成），兩月後腹痛劇（表明許多小蛇已長大，咬

▲「烏梢蛇」體全長可達 2.5 米以上。體背綠褐或棕黑色及棕褐色，背部正中有一條黃色的縱紋，體側各有兩條黑色縱紋，在前段明顯，至體後部消失。有的全身墨綠色的；有的前半身是黃色，後半身是黑色。

人吸血為生，半年後可長到筷子粗、五六寸長，可把人的肝吃完），吃了雞蛋後痛減（表明小蛇不再咬人的腸子，而是在吃蛋，故痛減）。

病人特別想吃青菜，吃不得飯，劇烈嘔吐，吃了炒麵、雞肉、母豬肉、綿羊肉後，腹痛、腹脹、嘔吐更劇。人體消瘦，臉色變黃，神差、脈慢、體溫低，半年內可死亡，也有拖至一年多才死的。

嗜人肉的壯族蛇蠱降

中「壯族蛇蠱毒」的，不出三十日，必死。初則吐瀉，後則肚脹、減食、口腥、額熱、面紅。重則面上、耳、鼻、肚有蠱行動翻轉作聲，大便秘結。

一般放蠱的人看準了一家有錢人家，就計畫將蠱放入。中蠱的人在沒有醫藥可治的情形下就會死去，死人的財產隨之移入蠱主的家裡。養蠱的主人養了這種殺人的蠱後必須用蠱連續殺人，每年一個，如果間隔三年不以蠱殺人，蠱主本人也會中蠱死去。

壯族蛇蠱的製作方法

選擇在農曆五月初五這一天到野外捕捉老鼠、蝴蝶、蜥蜴、蠍子、蜈蚣、毒蜂（由山上樹林間的毒菌經雨淋後腐爛而化為巨蜂，全身黑色，嘴很尖，有 3 厘米長）、馬蜂（在樹上築巢的那種）、藍蛇、白花蛇、青蛇（毒蛇之一種，青色，經常在青草中或樹上居住，又叫竹葉青）、吹風蛇（毒蛇之一種，身有黑斑，頭呈三角形，又稱眼鏡蛇）、金環蛇（俗稱金包鐵，身上有黃黑兩色環斑相間）等許多有毒動物，全部均放在一個陶罐內，讓它們互相咬打，吞食，直到剩下最後一個活的為止，把最後剩下的這個活動物悶死，曬乾，外加毒菌、曼陀羅花等植物及自己的頭髮，研成粉末，製成蠱藥。

如果最後剩下來的活動物是蛇，就叫蛇蠱，以此類推，

▲幾十種毒蟲困獸鬥，最後死唔去的毒蟲之最將會被製成至惡毒的蠱藥，絕對能置人於死地。

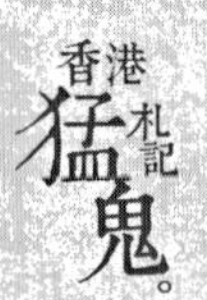

有蝴蝶蠱、鼠蠱、蜂蠱、蠍子蠱、蜈蚣蠱、蜥蜴蠱等。

把這些蠱藥粉貯存在一個大碗裡，平時放置在飼養者的床頭底下，飼養者也須於農曆每個月的初九晚上夜深人靜後，在床頭點一支香插在大碗裡（或用一個盛米的竹筒插香在裡面），然後面對蠱碗叩頭作拜，且微閉雙目，口念咒語：「告訴你聽呀阿公，雙膝下跪向你拜，恭敬之心時時有，他日有難請相助。」如是者，反復念三次。

月月如此，不得有誤，以示誠心。蠱成之日，取之以害人，十分可怕。

不忠就要死的愛情蠱降

降頭師在石頭下，或大樹下，找出一種原生蠱的蟲蛹，此蟲蛹是一種生物，一種未經演化的古生物。通常如果是未經孵化，它可以在地下長眠，可以蟄伏萬年，長期處於安眠的狀態，不吃不動，每年在春天驚蟄春雷響時，才會醒來。

任由蟲蛹互相廝殺

要製造此愛情蠱，首先要把一盤蟲蛹，放在一個瓦罐裡，以鼓聲驚醒它們。剛睡醒的蛹十分飢餓，在得不到食物的情況下，會互相廝殺。

互相廝殺時，其身體潛能被激發到淋漓盡致，成王敗寇，如果弱者軟在罐底，即成為眾蛹的食物。

在經過不斷的對決與淘汰之中，使得它們在短時間內，為了求取生存，產生物種的突變，個性變得很兇殘，甚至沒有甚麼仁義道德，成為一種變種基因的生物。此蠱蟲沒有繁殖的能力，要有訊號，才能喚醒它們，使它們復活。

如果瓦罐中只剩最後一隻，只要餵食施術者的本身的血，加上不斷的念咒，運用「愛情咒語」術，激發它們的突變，一般它會和術者心靈相通。待其死後，將之磨成粉末，就成為一般俗稱的愛情蠱蠱粉。

通常，施術者會將蠱粉下在牛乳等食品中。一旦有人喝下，或吃下食物，平時沒事，只要不對施術者變心，不對其他異性動心，就可無事。

一旦見異思遷，蠱毒即發作

如被下蠱者有異心，施術者也馬上能感應到。施術者啟動咒語的話，則無論距離多遠，中降者體內的蠱蟲就會開始復活，感覺痛苦萬分。

此愛情蠱和施術者是心意相通的，會受施術者行動的控制，如果罹術者不回到施術者身邊求解救的話，肯定會被體內的蠱蟲啃食衰竭而亡。以現今的醫術，只知為細菌、病毒感染，而沒有辦法解除。

愛情蠱原本無攻擊性，但以人為方式使它們互相廝殺，改變了它的物種，使其變得兇殘。而在養成的當中，又加入了許多的法術、密咒，此愛情蠱變成了殺人與無形的利器！

要解此愛情蠱，是非常困難，除非找出下蠱的術者，或是熟悉此法術者破解，一般法師巫師是無法解除的。

此愛情蠱法術，本來是苗女為了維持情郎感情不會變心而下的。但是，她相對也要付出相當高的代價。假如情郎不幸意外身亡，那下此蠱的女子，也會在七天左右，隨情郎而亡。

燒不死砍不滅的金蠶蠱降

金蠶蠱鬼王之修煉方法，要找一顆千年肖楠古樹，從樹根下掘出一種金色燦爛的蠱蛹，以五種毒物：蜘蛛、壁虎、毒蛇、蟾蜍、蜈蚣，和綠豆一起放入甕中，令其互相咬食。

最後，取出綠豆，配上法師自己的血，焚香稟明上天，請祖師賜下法力，並約定幾年的期限。經過七七四十九天修持，若法術成功，力量將非常大，可以令其水火刀刃不侵，做莊稼，做農事，或是幫人打掃家裡，幫忙累積大量財物。但是每年年尾必須結算一次，如果所獲得財物或工作達到所要求，必須重謝之。

期限屆滿後，供養者大都會找一個箱子，將金子及一筆錢，連同金蠶蠱放置其中，然後將箱子丟到路旁，如果有不知情者撿了這個箱子，這隻金蠶蠱就會隨這個人而去，成為新主人，這就是所謂的嫁金蠶蠱。而那些金子、錢，統稱為陪嫁金。

如果撿到的人只想要其財，那是不可能的，除非以數倍的利息和原物奉還，否則永遠擺脫不了它的糾纏。

若是原主人沒有將它遣送走的話，一般皆會被它反噬，進入原主人的肚子裡，把它的腸和胃咬食致死。

金蠶的製作方法

民間的說法，是將多種毒蟲，如毒蛇、蜈蚣、蜥蜴、

蚯蚓、蛤蟆等等，一起放在一個甕缸中密封起來，讓它們自相殘殺，吃來吃去，過那麼一年，最後只剩下一隻，形態顏色都變了，形狀象蠶，皮膚金黃，便是金蠶。

也有的說，把十二種毒蟲放在缸中，秘密埋在十字路口，經過七七四十九日，再秘密取出放在香爐中，早晚用清茶、馨香供奉；這樣獲得的金蠶是無形的，存在於香灰之中。放蠱時，取金蠶的糞便或者香灰下在食物中讓過往客人食用。

金蠶蠱對於人體的危害很大，牠像人死後屍體上生的屍蟲一樣，侵入人的肚子後，會吃完人的腸胃。牠的抵抗力很強，水淹不死，火燒不死，刀也砍不死。金蠶能使人中毒，胸腹攪痛，腫脹如甕，七日流血而死。

據說金蠶很愛乾淨，總是把養它的人家打掃得乾乾淨淨。如果你到一戶人家，見他家屋角清潔，沒有蛛絲，就要當心他家有金蠶。你進門時用腳在門坎上踢一下，踢出沙土，回頭再一看，沙土忽然沒了，那便可以確定這戶人家養了金蠶了。主人請你吃飯，如果見他用筷子敲碗，那是在放蠱，趕快向他點破，就可避免受害。或者吃飯的時候把第一口飯吐到地上，或抓抓頭皮，金蠶怕髒，也就嚇跑了。

怎樣知道自己中毒了呢？

怎樣知道自己中毒了呢？其辨認法是生嚼黃豆而不感到腥臭，便是中蠱，如果不及時醫治，便會感到胸腹攪痛、

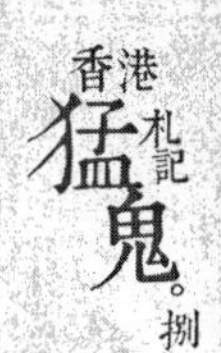

腫脹，最後七孔流血而死。死時口鼻之間會湧出數百隻蟲，死者的屍體即使火化，心肝也還在，呈蜂窩狀。

為甚麼要養金蠶？

為甚麼要養金蠶？據說養金蠶的人家很少生病，養豬養牛容易養大，還有說把人下金蠶蠱害死後，可以驅使死者的魂魄為他幹活，因此致富。

養金蠶的人，必須在「孤」、「貧」、「夭」三種結局中選一樣，法術才會靈驗，所以養金蠶的人都沒有好結果。

各地的金蠶蠱傳聞

福建的龍溪縣有這樣的傳說，金蠶是一種無形的東西，它能替人做事，譬如你要插秧，你先插一根給它看，它便把整畝的秧插好。

年終歲暮時，主人須和它算賬，若有盈餘便須買人給它吃。

金蠶能變形，有時形如一條蛇，或是一隻蛙，或是一個屋上地下到處跳走的穿紅褲的一尺來高的小孩。養金蠶的人家，很少疾病，養牲畜易長大，沒有死亡之患，而且能聚財暴富。

執復負心郎的羊皮母蠱

欲煉此法者，首先得找到一頭羊，然後，將辛辣食物混入草料餵食。初時牠必不肯吃，到最後餓透了，不吃不行，但吃進了太多的辛辣食物，必將會想喝水，此時再把辣椒水給牠喝，使它全身發熱。之後，用刀刨去牠身上的毛，再將一種草藥灑在羊身上，讓牠感到身上每一處皆發燙，仿如火燒。

過了十天至十五天左右，羊會哀叫而死，死前會渾身發漲，羊皮緊繃，漲得滿滿，仿如一個小鼓，再把那塊羊皮割下，用火烤乾，壓碎、磨成粉末，這就是羊皮母蠱。

▲用辛辣的食物把羊活活辣死，然後製成羊皮母蠱！

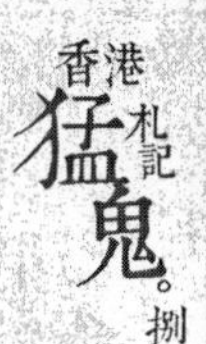

中蠱者死時腸胃漲大三倍

把這種粉末投入食物，或飲料內，人若吃了，初時沒感覺，但兩個月後，就開始感到不對勁，身上會出現多處紅斑，有沉重的壓迫感，皮膚變薄，輕輕一摸，也會感到劇痛，有如針刺。如此經過一段時間，其人的軀幹、腹部會腫脹，皮膚沒法箍緊，終致腹部裂開而死，死時腸胃會漲大三倍，肝臟則漲大五倍。

一般下此蠱者，皆為欺騙感情，在東南亞及中國雲貴之婦女喜落此蠱，以控制心愛的人，使其不敢變心。

令人七孔流血的植物蠱降

胡蔓草又名斷腸草，明崇禎十七年（西元一六四四年），廣榹發生一件植物蠱疑案。在香山縣的山林裡，有一種草叫胡蔓草，葉子像蕁花，有黃色、有白色，葉子含有劇毒，放入人的口裡，人就會百孔出血；葉汁若吞進肚子裡，腸胃也會潰爛。當地的村民常常利用胡蔓草做蠱害人。

崇禎時代某年春天，雲南人羅明夔到香山縣當縣令，瞭解胡蔓草害人的情節以後，就下令：一般人向本縣告官的，每人隨繳胡蔓草五十枝。這道命令下了以後，胡蔓草也就砍光了。羅縣令把收繳的毒草，親自監督雜役焚燒，不久，這種毒草便在香山絕跡。

當地的醫生也訂有治胡蔓草劇毒的藥方：取母雞孵的雞蛋一個（沒有長小雞的），把它煮熟，研成細末，加一

▲斷腸草被人用來製蠱

湯匙清油，中胡蔓草毒蠱的人每天服一次，就會吐出胡蔓草蠱。蠱在「上高」的，加用膽礬五分，放在熱茶裡溶化後服用，就會吐出蠱來。蠱在「下高」的，用郁金水二錢放在菜湯裡服下，蠱也會吐出來。

中蠱與解蠱的方法

想知道自己是否已經中蠱？方法有很多，包括：

方法一：咬綠豆試味

在寅時，也就是早上三點至五點之間，咬綠豆檢查看看，如果感覺是甜味，而不是一般的腥味，就可以確定他中蠱毒了，要趕緊找法師解降，否則命不久矣。

方法二：嚼白礬、生黑豆試味

啃白礬或口嚼生黑豆。白礬的味道很苦，啃這兩種覺得白礬是甜的、生黑豆是香的，就是中了蠱。要用石榴皮煎成汁，服用以後，可以吐出金蠶蠱的蠱毒。

方法三：留意身體狀況

另外有一種，在中蠱毒之初，肚子會有一點痛，第二天會變得如針刺般痛，十天左右，會感覺到肚子裡好像有東西在蠕動，當這東西到達胸部，胸部會劇痛；到腹部時，腹部會痛，然後肚子會漸漸脹起來，人也會漸漸的變疲衰弱，久而久之，肚皮會脹得像紙一樣薄，甚至連心臟和肝臟都看得見，呼吸也會變得急喘，不管吃甚麼藥都無法醫治，這是最明顯的症狀，有是最危險的狀況。

解蠱之術

1. 一般初始可以用明礬、鬱金、人參、白朮等藥物，給患者服用，讓他腹中的異物吐出。然後，慢慢調養，即可恢復健康。

2. 有傳，在每年農曆五月初取初生的桃子一個，把它的皮碾成細末，份量是二錢。另用盤蝥末一錢，先用麥麩炒熟，再用生大戟末二錢，將這三味藥用米湯和拌在一起，搓成如棗核一樣大的丸子，中蠱的人只要用米湯吞服這種藥丸一個，就會藥到毒除。

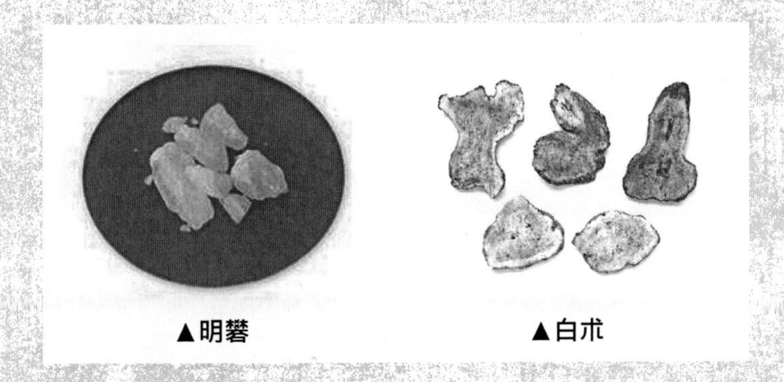

▲明礬　▲白朮

降頭大揭秘

喪失理智、任情人擺佈的情降

迫人一世愛你的愛情降

為甚麼明明男方是個薄倖郎，四處留情，背裡偷歡，女方仍對他愛得死心蹋地？莫非中了「愛情降」？

愛情降分為「針降」、「鉛降」及「頭油降」三種。

(1) 針降

愛情針的下降方法簡單，但效力有限，每隔一段時間就必須重新下降，才會保障愛情的「有效期限」；說起來挺可憐又挺好笑的，偏偏有許多癡情女子情願身受情降的痛楚，來換取短暫的快樂，豈不哀哉？

(2) 鉛降

降頭師拿兩粒小鉛石念咒，經過一段時間後，便可施降。由於和情降有關，施降人必須將鉛石置於眼眶內一天，再給他心儀的人一個深情的凝望，便可擄獲對方的心，對他死心蹋地、至死不渝。

在印尼也有類似的降頭術，不同之處，是施降者必須將鉛石嵌入臉頰，做出兩個酒渦。之後，只消將酒渦朝心儀的人深情一笑，便可另對方跌入愛的漩渦裡，難以脫身。但施此降者，要遵守一個規條：施降者不能中途變心，若愛上另一個人，降頭會反噬，施降者必然七孔流血、暴斃身亡。

(3) 頭油降

最厲害的情降，當屬得來不易的「降頭油」！說是情降，其實應稱之為色降，無關愛情。施降者的唯一目的，只是想得到女人的肉體而已，所以又被稱為「和合油」！

降頭油的製作過程相當不容易：首先，降頭師必須先找尋一具剛下葬沒多久的女性屍體，而且該女性必須剛好年滿四十九歲。掘出屍體之後，降頭師必須待在屍體身邊，念足七七四十九天的咒語，不可中斷。到了第四十九天，降頭師扶起屍體，用容器去接它下巴流下來的屍油，便成了所謂的降頭油！由於數量稀少、得來不易，唯有高價者得之。據說降頭油的效果奇佳，只消輕輕點在女體任何裸露的皮膚，沒多久，那女子便會喪失理智，任人擺佈，醒來後還不知道發生甚麼事呢！

懲治情婦情夫的拆散降

男子或女子欲使對方引起愛慕的情感，愛情降是極靈驗的。其方法不外有下列幾種：

1. 用降頭油搽在自己的臉上，不論是如何醜陋的人，對方看了，亦必覺得美麗動人，使之迷戀著。
2. 降頭水洗臉洗身，也可令對方狂迷、狂戀不休。
3. 由降頭師作一降頭術，選擇一易於入術之物，用作佩帶或飲食或搽臉，可使對方引起愛情而著迷。
4. 如夫有別戀，降頭師可施愛情降予其妻，給丈夫像新婚時一樣的愛她，和好如初，或作「拆散降」，使其夫見了其他異性即有惡感而不歡而散。

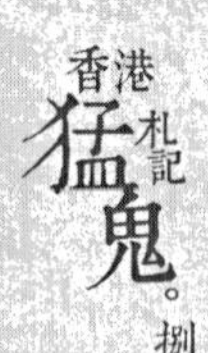

令丈夫聽聽話話的藥降

降頭師利用各種不同的藥物，如屍油、蠱卵、頭髮等達到其下降的目的。這類的降頭，十分陰毒，中降者會於十分痛苦的情況下，輾轉哀號而死。施降者，多半是用來報仇，決意置對方於死地；一旦降頭被破，施降者的身上會出現同樣的症狀，而且會加倍痛苦而死。

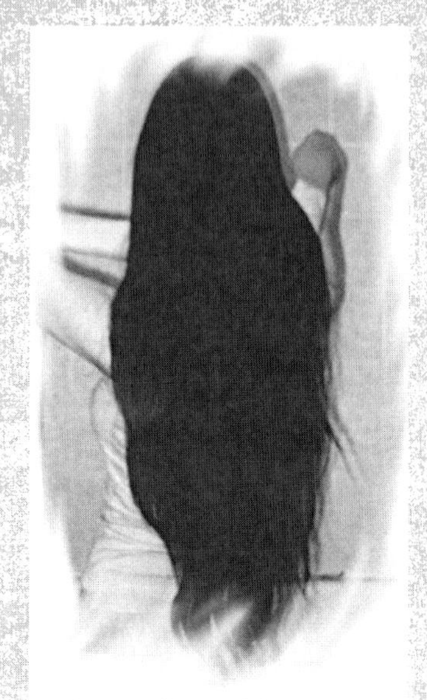
▲頭髮和屍油混和在一起，可提煉出法力無比的蠱毒！

藥降與中國苗族婦女的放蠱接近。都是將一些毒物如蜘蛛、蛤蟆及蜈蚣等放在一罈中，讓他們自相殘殺至死光，之後將牠們的屍體磨成粉末製藥便是。而最後一步就是讓自己的男人吞掉這些藥。

藥降相傳是種慢性毒，吃掉不會立刻出事。但日子一久便會腸穿肚爛而死！而且無藥可根治，不想死唯有定期回到妻子處拿解藥。

當然不會有女人會這麼坦白向丈夫說自己已對他落毒，無論毒藥解藥也是偷偷混入飯菜中給他食掉便算。

爛滾即爆肚亡的牛皮降

牛皮降頭術俗稱「牛皮降」，這是中級的降頭術。

降頭師把整張牛皮，用降術咒語把牛皮縮小練成微塵狀，用時將它放於被落降者的食物或飲料中，使對方不知不覺中吃下肚裡，可藉此要脅他，限令他在一定的期間內回來，或在限期內把事情辦妥，才為他解除降術。否則，降頭師只須唸咒，一日催緊一日，對方的肚皮就因牛皮在肚內逐漸還原而漲大，所以對方一定要在期內趕回，如期限一過，牛皮便會把肚皮也漲破，人也會爆肚而亡。

從前就有很多南洋的婦女，因怕丈夫出外一去不返，留戀異地情緣，故在丈夫出行前對他施此降術，著令丈夫如期歸來，否則有性命之危，以此作脅。

▲死了的牛有甚麼用，就是用來它的牛皮做最陰損的蠱毒！

降頭大揭秘

馬上暴斃兼死狀恐怖的死降

誓要仇人滅門的絕命降

關於降頭，有一種叫「絕命降」，聽其名已知其威力。中降者顧然性命堪虞，但要求施降之人也不得善終，以下有宗駭人聽聞的事件，是星洲一份報章報道出來的：

話說，星洲舊跑馬埔，住了一個卅多歲的華藉婦人宋氏，本是馬六甲一名富紳的第十六房姨太太，近年來才自馬六甲遷到上述地方居住。她有位女兒名笑珍，現時十六歲。那天是她生辰，有許多親友到家道賀。

我愛你！我要嫁給你 ......

在興高采烈喝酒的時候，笑珍突然以求愛的方式，向一名男友說：「我愛你！我要嫁給你。」這時大家都弄得莫名其妙。不久，又向這男友的太太說一樣的話，摸手摸腳，情形很是難堪。

我永遠不會放過你 ......

突然又向她的母親宋氏大罵：「我永遠不會放過你，你用降頭害了我，而且還在我的墳墓淋了黑狗血，我將永遠不會放過你！」笑珍說時，瞪大雙眼，面部至凶，絮絮不休。

之後，笑珍似入昏迷狀態，很久才醒回來。

親戚朋友被她弄得莫名其妙，後來經過宋氏解釋，說她時常有這樣神經病症發作。

但親友詢問她女兒究竟受了何種刺激時，宋氏則諱莫如深，支吾以對，其實內裡大有文章。

妻妾爭寵，種下禍根，孽延後代

原來馬六甲的富紳黃某，娶了十五位姨太太之後，十七年前，又以銀彈攻勢，納宋氏為第十六房姨太太。後宮佳麗，她被獨寵一身。

黃某和所有的妻妾同住在一間大廈內，髮妻雖不滿黃某所為，但在男權時代，有錢在手，唯有一個個讓他娶回來，十多名姨太集於一室，自然多事，醋海興波，是免不了的事。但其中第十二位姨太太，最為厲害。她對外交遊廣闊，尤其好交一般馬來籍的降頭師，使其他姨太太都懾伏在她的手下。

然而第十六位姨太太宋氏的母親，也是不好惹的，她在外間亦認識許多暹邏降頭師。當十二姨太使出法術時，卻給宋氏知道了，向母親求救。這時，適值宋氏已懷孕七個月，恐為邪術所害，以致不能生產，她母親即主張女兒暫時避開，由她向黃某說項，討一筆款項返唐山生孩子，滿月後才返馬六甲。這樣經過大海洋，就可避去降頭師。

經過宋氏的苦求，黃某終於首肯她回唐山生產。

宋氏返國期滿，生一個女即笑珍，遂重返馬六甲。

宋氏返回馬六甲後，十二姨太立即施法使宋氏失寵，因此，弄到宋氏生病，終日神緒不寧，母親到處奔波，請得一位馬埠有名暹邏降頭師，想以牙還牙，替她女兒報一箭之仇。

兩大降頭師互相鬥法

宋氏雖然時時有病，她知是十二姨太的作為，繼續重金聘請暹邏降頭師，向十二姨太反攻。十二姨太聞訊，也不甘示弱，又請降頭師作法，上了護身的狂頭，預備雙方大鬥暹馬降頭術了。

兩敗俱傷：一方中降亡，一方痴呆半生

這樣兩方的鬥法，一直鬥爭了幾年。最後，宋氏請到一位有名術法高強的暹邏降頭師，作了一個「絕命降」，將十二姨太的降頭師收拾掉，十二姨太也去世了。

十二姨太死後，宋氏的女兒笑珍，卻為十二姨太的陰魂所擾，時常附上笑珍的身上，辱 宋氏，吵得全家雞犬不寧。宋氏不得已，再求助於暹邏降頭師，攜黑狗血到十二姨太的墳墓四周淋灑，以為可稍煞十二姨太冤魂的兇焰，可是它卻越來越凶。由那時起，陰魂除上笑珍之身辱 宋氏外，還迷惑笑珍忘形，胡亂說話。

到了笑珍十四五歲時，便逢人公開求愛，喊說：「我愛你！我要嫁你！」宋氏被迫得無路可走，在兩年前，迫得搬到新加坡躲避，詎料仍無法避開十二姨太陰魂的糾纏。

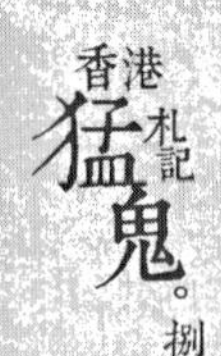

一日內即死的血詛

血咒在很多降頭術中，是一項極為重要的儀式，尤其是殺傷力越強的降頭術，無不藉由血咒的的施行，才能發揮力量。也正因為降頭師在下降頭時，需要以自己的精血為引，所以，當他的降頭術被破時，降頭師也會被降頭術反襲，功力不足的降頭師極有可能因此破功，甚至倒送一條性命；即使降頭師的功力深厚，十之八九也會因降頭術反噬，而大傷元氣，必須急覓隱密之處養傷，才能逃過破功之劫。因此，若非有深仇大恨，一般的降頭師絕不輕易動用血咒，以免損傷元氣。

不是你死！就是我亡！

血咒的行使方法很簡單，即降頭師在下降時，用乾淨的刀片割破自己右手中指，擠出一滴血於下降之物，配合咒語，便可增強降頭術的威力！

用墓地墳頭上的黃紙，剪成人形，用壁虎血浸泡曬乾。

蜈蚣，蠍子，蟾蜍曬乾，研成粉末，取屍液混合，加入自己的血，在人形上寫上那人的名字和生辰。在午夜，黑暗安靜的密室中，點燃用 81 支未用過的蠟燭，圍成一個圓形，自己站在中間，用眼鏡蛇的牙齒在那人形上刺。刺過 81 下後將人形燒掉，記住燒的時候要面朝那人所在的方向燒。

中了此詛的人，6 個時辰後就回全身流血而死。

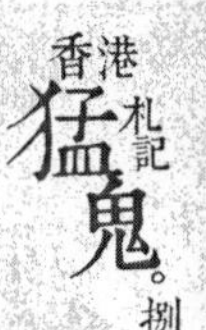

慘過凌遲處死的貓詛

被詛咒的人會在十日內死掉，死狀非常恐怖，身上的肉好像被利器傷過，失血過多而亡。有點像凌遲，但肉還連在身上沒有掉下來。

詛咒的方法就是，找一張你想詛咒的人的照片，在照片的背面用烏鴉的血寫上他的生辰八字。釘在一個倒立的五芒星陣裡，然後找一隻純黑色的貓綠眼睛的，讓貓的眼睛直直的盯著照片上的人，再把貓活活掐死，記得要用手掐死，讓貓的血覆蓋住整張照片。相中人在十天內必死無疑！

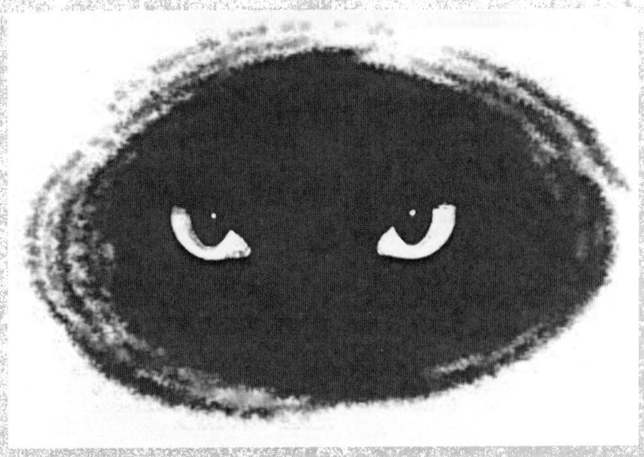

▲貓被掐死後，把貓血滲在某人的照片上，那人必死無疑！

能遙距殺人的飛降

蟲降、藥降，必須對受害人進行身體接觸才能下降，即是受害人必須誤吃毒蠱才可；但飛降可以在遠距離對受害人進行直接攻擊，換言之，毋須與苦主有身體接觸，苦主也不用服下毒物，都能中降！

黑煙飛襲被降者

飛降法術儀式期間，焚燒屍油和萬千蠹蟲時黑煙飛升期間，巫師在瞭解被降者當時的地點後，通過意念冥想和符咒的控制使黑煙飛襲被降者。不過距離有一定限製，且不能在陽光普照時進行，通常在黃昏和夜間。集合萬千毒物和屍油來聚合一種邪氣和死氣，這種邪氣即是世界上最可怕最惡意「詛咒」，這是具殺傷力和危險性的降頭術！

▲燃燒屍油的黑煙，同樣可置人於死地！

千萬毒蟲煉製的五毒降頭

「五毒」就是自然界的五大毒蟲，即蛇、蜈蚣、蠍子、蜘蛛及蟾蜍（或壁虎），這五種具有天然毒素的動物，最常被降頭師用來下降。其下降的方式，又分為「生降」與「死降」兩種！

1. 生降

只消將這些毒物置於碗內，配合對方的生辰八字念咒，再將毒物放進受降者的家中，毒物就會將受降者咬死。

2. 死降

將死亡的毒物磨製成粉，配合咒語後，便可混入食物中下降。下降後的發作時間不定，視乎降頭師所念的咒語而定，有些會立刻發作，有些則會在兩、三年後才發作。

但是，不論發作時間的長短，一旦發作時，中降人必定痛苦萬分、死狀淒慘。因為他的體內會突然孵出許多怪蟲，自他七孔中鑽出，其至肚破腸流。降頭師依其藥引，將這類降頭稱為蠍降、蛇降、蜘蛛降、蜈蚣降及蟾蜍降。

令人死狀恐怖的陰陽降頭草

「陰陽降頭草」粗為陽，細為陰，通常會並生在一起，即使已被製成乾草，置於桌上，陰陽兩草還會發生不可思議的蠕動，直到兩草結在一起為止。

降頭草落降後，會在人體內悄悄滋長，直到某個數量之後，便會以驚人的速度衍生。這個時候，中降者會莫名其妙發起高燒，接著就會發狂而死！死時陰陽草會透體而出，死者的屍體有如稻草人般。這類降頭的可怕之處，在於這類降頭是目前降頭界最為難解的「絕降」，中降者只有等死。

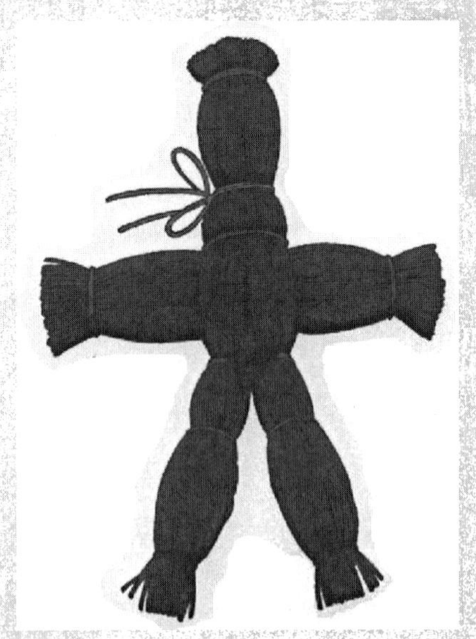

▲「降頭草」被製成乾草後，可殺人於無形。

專吸食孕婦人胎的飛頭降

「飛頭降」是所有降頭術裡，最為神秘莫測，也最為恐怖詭異的首席降頭。所謂的「飛頭降」，就是降頭師利用符咒替自己下降，讓自己的頭顱能離身飛行，達到提升自己功力的降頭術。

飛頭降是眾降之首

降頭師剛開始練「飛頭降」的時候，必須先找好一座隱密的地方，確定不會突遭干擾後，才會在半夜十二點整，開始練「飛頭降」。

「飛頭降」總共分七個階段，每個階段都必須持續七七四十九天，才算功德圓滿。

練飛頭降並不是一件容易的事，在之前的七個階段裡，

▲降頭師練成「飛頭降」後，頭顱可以隨時脫離肉身，魔力大增。

降頭師並不是只有頭顱飛出去吸血而已，而是連著自己的消化器官：一腸胃一起飛出去。遇貓吸貓血；遇狗吸狗血，遇人呢？自然也把人血吸得乾乾淨淨，直到腸胃裝滿鮮血，或在天將亮時，才會返回降頭師的身上。

等過了這七個階段，降頭師便算練成了「飛頭降」。之後，當他施展飛頭降，那些零零落落的胃腸，就不會隨頭飛行，變得輕巧俐落，而且不易被發現。

「飛頭降」練成之後，降頭師便不用再吸食鮮血，但每隔七七四十九天，他卻必須吸食孕婦腹中的胎兒。這個階段的「飛頭降」，簡直已成為孕婦最恐怖的夢魘。

幸好練至這階段的降頭師寥寥無幾，為甚麼呢？因為「飛頭降」本身是個極具危險性的降頭術，除非降頭師對自己有無比的信心，或身懷血海深仇，想藉此報仇，否則一般降頭師絕不會冒險練「飛頭降」！

練飛頭降的風險

練「飛頭降」，降頭師要面對以下風險：

1. 一旦開始練飛頭降，每次都必須練足七七四十九天，不得間斷；如果有一天沒練，或有一天沒吸到血，那就全功盡棄，再也不能練飛頭降，甚至有機會功力盡失，再也無法施降。
2. 在前面七個階段中，頭顱拖著腸胃而行，其飛行高度絕不能超過三公尺，此高度很容易被東西勾絆住。萬一降頭師很倒楣遇到這種情形，又未能及時在天亮前脫困返回降頭師身上，那麼，只要陽光照到飛頭，降頭師便會連人帶頭化成一灘血水，永不超生。

3. 由於馬來人對「飛頭降」非常恐懼，一般居民都會在圍牆及屋頂上，種植有刺植物，以防飛頭來襲；同時，只要一發生人畜慘遭吸血而死的事件，一定會全體出動，找尋降頭師的下落。在這種情況下，被村民找著的降頭師，通常會被村民亂棒打死。

正因為有如此多的危險性，降頭師不敢輕易嘗試「飛頭降」。

降頭大揭秘

餘生受盡精神肉體折磨的聲降

令人思覺失調的聲降

所謂「聲降」，其實是降頭師運用大量咒語，集中意志下降。聲降須藉由各種古怪的道具，才能成功下降。目前在香港較為人熟悉的聲降，為愛情降、飛針降及迷魂降三種。

法師取得受術者的出生日期和相片即可落降。此種降頭是運用咒語、意志力，進入受術者潛意識內。有時更會差衍鬼仔騷擾受術者，令受術者精神上、思想上產生幻覺，無論工作甚至睡眠都不得安寧，感覺身邊的人都會傷害他，所出現全是幻聽、幻視，這全是法師與鬼仔的傑作，最後受術者因抵受不住騷擾，而至精神分裂，輕則發顛發狂，重則有自殺傾向，甚至死亡。

▲聲降使人產生幻聽幻視，使人受盡折磨，長此下去，人想唔癲都幾難！

把人活活餓死的失音降

用藥製煉而成的一種粉末，聽說其主要的成份是取用死人的指甲磨成粉末，再配合各種藥物煉製而成，只要把少許藥粉混入對方之食物或飲料中，讓對方食下肚裡。駭人的特徵是先失音，漸至皮骨消瘦，以至死亡。

而最奇怪的是對方的死期，是由下藥的降頭師所操控，可以說要他幾時死就幾時死。因藥物混合成份不同，毒發的時間也不同，可由數天至數月的分別。降頭師能隨心所欲控制毒發的時間。

▲失音降先使人失聲，繼而消瘦至見骨，痛苦異常。

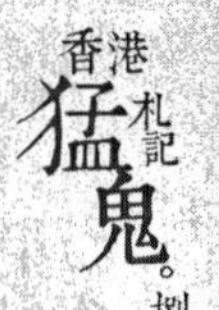

纏你一生一世的靈降

靈降相當於對受害人下了「通緝令」，中招者無論在哪裡，都會受到惡魔的影響。

令人失去靈魂，迷失意識

靈降降頭師可以用自己的意志力，令受害人產生幻覺，或迷失意識，做出匪夷所思的怪事來。這類的降頭術，必須配合大量的符咒來進行，功效十分快速，能在瞬間控制住一個人的意志，做出他原本不想做的事情。

懂得使用靈降的降頭師，通常是降頭師界功力較為高強的一群；但是，一旦降頭被破，會被其降頭反噬得最厲害。因此，降頭師絕不輕易出手下降，一下降，對方必然逃生無門，只能任降頭師為所欲為，直至降頭師解降，或有高人出手破降，才能逃出生天，脫離對方的掌控。

傳服食「維他命 B2 群」可解降

有科學家研究，靈降其實是一種控制腦波的精神術，只要讓中降者服食大量的「維他命 B2 群」，增強他腦細胞的活動力，自然就能擺脫施降者的精神控制。換句話說，「維他命 B2 群」便是破解靈降的特效藥。

令人生麻瘋的麻瘋棉

這是利用降頭毒藥使人變成麻瘋等毒症。

方法很簡單，是用一根普通的小竹竿，紮上一團藥的棉花，點在敵人的身上，那人就會患上麻瘋毒症，不生不死。至於撮合戀愛的方法是，再將降術加在對方身上，不論男女都可應用，不過這種降術只有幾個月的功效，時限過了那被蠱受迷的人，就會漸漸清醒回來，如果目的還未達到，就要再從新作降，這也就是在「愛情降」的一種。

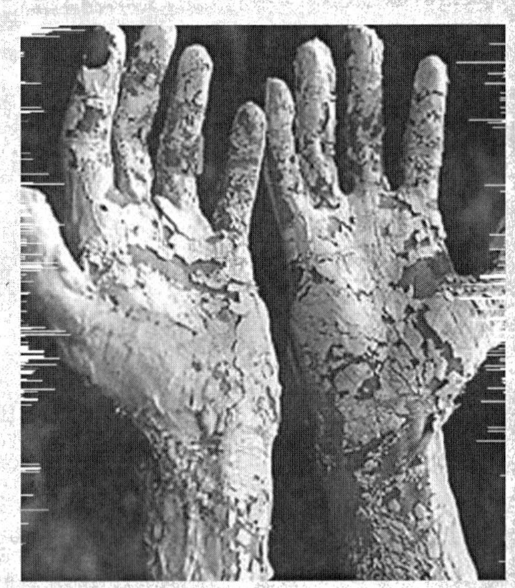

▲有些降頭不會殺人，但會令人染上可怕的麻瘋毒症，生不如死！

降頭大揭秘

豬扒變身萬人迷的迷降

醜八怪變萬人迷的人緣降

愛情容易令人迷失本性，為了留住對方的心，有些情人不惜利用邪術，令對方永遠深愛自己，永不變心。

1. 身上塗特製花油，令人對你一見傾心

用施咒花油浸浴或塗在身上，可使身上發出獨特氣味，令自己人見人愛，令身邊人對自己心生好感。這種屬於和合術有助提升人緣，較多夜總會女士做，令人對你一見鍾情、一見傾心。保險、藝人都可以用和合術令別人鍾意自己，咁事業就可以一帆風順了。

2. 用七色花沖涼，令身體發迷人香氣

降頭術除人緣降外，亦有人希望透過降頭術為自己增強運氣，如較為普遍而又不傷害別人的如「沖花涼」。首先準備七種不同的鮮花，稱之為「七色花」。顏色須完全不同，其中必須有一格百合花。先將「七色花」的花瓣撕開放在盤子中，每晚洗澡後，把花瓣放浴缸中（加入神符效果更佳），浸泡十五分鐘，連續七天，不可間斷，浸泡後需即時上床睡覺，據說七天之內，運氣必然增加。

▲用七色花沖涼，可令你散發誘人香氣！

3. 令人對你千依百順的攝心術

把已念咒的花粉化成灰給對方飲用，或把花粉灰散在上司的椅子上，只要對方身上拈上花粉灰，即對落降者百般信任。

▲花粉，也可以成為降頭的藥引！

4. 控制人心的公仔和合術

要加強降術，先取得對方時辰八字，把對方頭髮、指甲放於人形公仔內念咒，針刺公仔，可控制其思想，令對方喜歡自己。

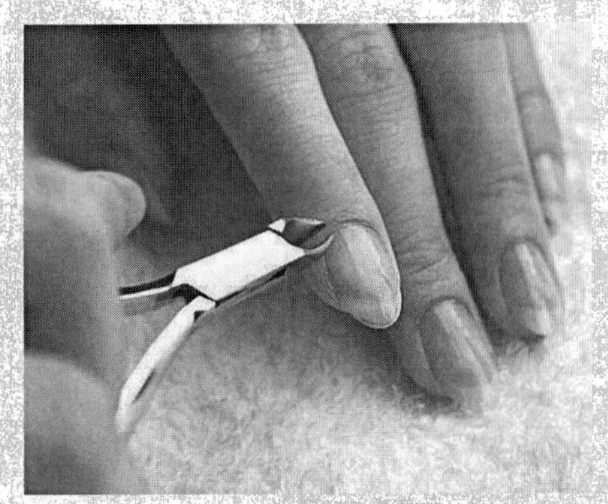

▲只要有某人頭髮或指甲，就可用來施降，令那人生不如死！

5. 經血滲入食物，令人對你貼貼服服

女方用自己來經時第一天的經血，取出拈有經血的衛生巾一片，放在月光下陰乾，再燒成灰，撒落食物給上司吃。此降可令對方對施降者成世人貼貼服服。

6. 花粉經施咒，令上司對你刮目相看

把施咒的花粉散在老闆辦公室門口，老闆經過門口，腳上拈上花粉即中降。亦可把花粉製成蛋糕或餅乾給上司吃，此降防不勝防，可令上司極度賞識施降者。

▲把施了降的粉末撒在食物上，進食者馬上中降！

7. 陰毛滲入食物，令人對你言聽計從

取出自己的陰毛，降頭師施法落咒再把陰毛化成灰，誰人吃下陰毛灰即對施法者言聽計從。

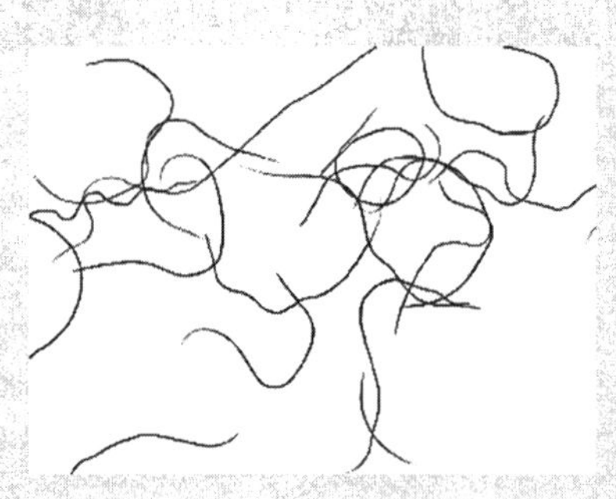

▲用陰毛施降，足以令對方從此聽聽話話！

直擊法師施降方法和步驟

令失去理智的迷魂降

用途：

讓受降人對自己言聽計從。

材料：

受降人的生辰八字，特選花粉，特製藥物，專用咒語。

製法：

施降者將受降者的生辰八字，混合花粉及藥物，念咒煉製成粉狀物。

施法：

施降時，只需料準受降人必經之路，將煉製成的粉狀物，灑向受降者的頭部，只要對方吸入些微粉末，不管對方怎麼討厭施降者，只要施降者對他提出要求，他都會言聽計從，直到解降為止。

痛過萬箭穿心的飛針降

用途：

主要是控制自己手下或自己派出去辦事的人，若對方突然陣前倒戈或突生變心，只要念一段專用咒語，對方就會感到萬箭鑽心，痛苦無比而死。

材料：

受降者生辰八字、七吋鋼針和咒語。

製法：

將受降者的生辰八字刻於鋼針上，每日子時持咒作法，七七四十九天後，把鋼針碾碎成粉末即可。

施法：

將鋼針粉末含於口中，伺機靠近受降者，只需呼喚對方的姓名，並把鋼針粉末噴上向對方裸露的肌膚上即可。

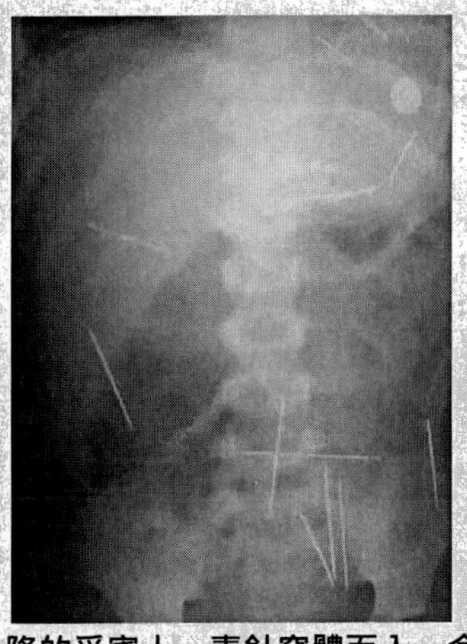

▲中了飛針降的受害人，毒針穿體而入，令人痛不容生。

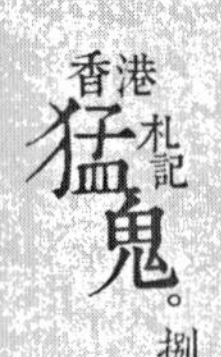

使人產生幻覺的奇幻降

用途：

讓受降者產生種種恐怖幻覺，導致精神崩潰 、發癲發狂而死。

材料：

受降者的生辰八字、五種不同動物的屍油 (如 : 貓狗等，人亦可)、五種不同的蟲卵 (如為毒蟲效果更佳)、五種不同的花粉 (如為毒花產生的幻覺更強)。

製法：

取五種不同動物的屍油，混合五種花粉及蟲卵，將寫有受降者生辰八字的符紙燒化，混入屍油中念咒，七日後即成。

施法：

將施過術的油狀物，伺機抹於受降者裸露的肌膚上即可，若能點上其額頭，甚至於眉心，效果更佳！

把活人變植物人花降

用途：

讓受降者肌膚纖維化，成為植物人(是指失去行動力及說話能力但頭腦卻很清醒)。

材料：

專用的特殊咒語，特殊植物催生劑。

製法：

不需要受降者的生辰八字，只需取催生劑持咒即成，所成的催生劑多為具有異味的淡褐色液體。

施法：

屬困難度較高的術，必須讓受降者直接服用這些淡褐色液體或把它注入體內，也可以混入食物或飲料中。

▲小心飲用別人給你的飲品，裡面可能已被滲入降頭粉。

令人即刻愛上你的金寧降

用途：

使受降者對施降者產生無法形容的好感，進而主動接近施降者，願意為他奉獻一切，不惜代價作任何事情。

材料：

受降者的生辰八字，13 種特殊毒蟲的卵。

製法：

將蟲卵和受降者的生辰八字，混合持咒作法，13 天後即成。

施法：

把已施降的粉末，在屋內四個角落及門檻前燒掉，再邀受降者來家裡作客聊天，只要對方一跨過門檻，就會馬上中降。

▲迷迷糊糊地對一個人死心塌地，可能已經中了降頭！

令你生腫瘤的散髮降

用途：

利用頭髮植入受降者的體內，形成腫瘤，令當事人飽受痛苦煎熬。

材料：

受降者的生辰八字，13 個人的頭髮。

製法：

將受降者的生辰八字和收集來的頭髮，一起焚為灰燼，念咒加持即成。

施法：

和花降一樣，均屬高難度的降頭術，必須趁受降者不注意，偷偷混入飲料中讓他飲用。

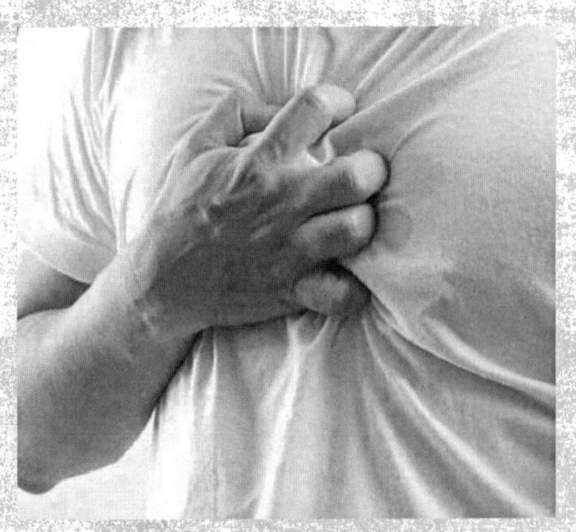

▲中了「散髮降」，身體會無故生起腫瘤。

使人慾火焚身的逢迎降

用途：

針對女性，激起其賀爾蒙激素，產生強烈的性愛念頭，進而喪失理智，只求和異性交合，又稱花痴降。

材料：

4 棵特定的植物，4 串銅鈴。

製法：

將銅鈴掛於植物上，念咒施法即成。

施法：

將施過術的植物置於屋內四個角落，行成結界，若有女性在內，只要搖動其中一串鈴，她就會無端端心猿意馬、春情蕩漾，即使是平日矜持自重的女性，也會糊裡糊塗隨便找個男人，和他發生關係。

▲中了「逢迎降」，平日矜持自重的女性，都會變成淫娃蕩婦。

向眼中釘小懲大戒的符降

用途：

這是最簡單且最直接快速的降頭術，由薄懲至重罰，甚至於取走對方性命，均可依照施降者的意願，藉此達到自己的願望。

材料：

各種不同符紙與咒語，受降者的生辰八字。

施法：

在某個特定時辰裡，焚符念咒即可施降，中降者可能產生幻覺，或突然產生不明原因的病痛，甚至喪失神智，做出一些讓人難以置信的事情！

▲中了「符降」的人，會變得神經失常。

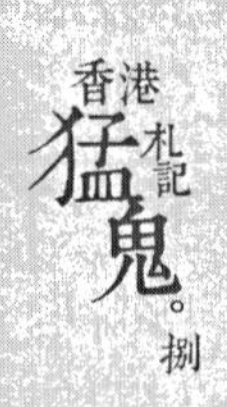

增進情侶感情的和合降

降頭術一：滴血令情人愛上你

雞蛋一粒，尖端開一小孔倒去蛋黃白。米一小撮倒入蛋殼內，並滴入求術者左手無名指血一滴，將蛋置於泥盆內，以黃布蓋之，隨即點白燭一支，並焚甘文煙一盆，降頭師盤坐前面草席上，集中精神咒曰：「(人名)之血煉祭精靈。(人名)之足踏過感應。日夜與(人名)相思。朝夕與(人名)戀情。意願永結同心。」每咒一遍即取甘文煙盆在黃布上圈轉圈。七咒四十九圈後，求術者把黃布包著的蛋放在情人的臥房之下，或埋在情人的家門口。情人跨踏過即中降，和合降開始發揮效力。

降頭術：洗身水浸金器催情

求術者備金飾一件及洗過全身之洗身水一瓶，降頭師即焚甘文煙及點白燭一支，注洗身水於泥盆，投金飾入內。降頭師左手拿甘文煙泥盆，右手掌心向下平伸，雙手在水盆上慢慢的左右移動，一面反復來回移動，一面咒曰：「咒祭金玉。奉獻(人名)。佩帶斯物，隨生(人名)。受術思念，心愛到底。」咒七遍，降頭師左手持甘文煙盆，右手持曲劍，另求術者雙手持水盆隨後，走出屋外草地，把盆放在地上，降頭師大喝一聲，劍擊碎水盆，求術者把金器取走，再贈給情人，情人即中術相愛。

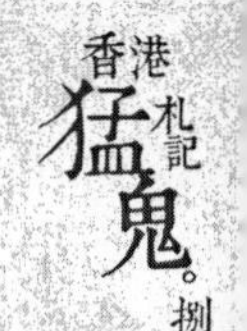

降頭術：情人頭髮纏腰間

取走情人和自己的頭髮各一束，降頭師點燭焚煙，用塗過特製花紅液的白紙各包著兩束頭髮。

降頭師先焚求術者之髮，化灰後用錫箔包著，再交給求術者，求術者要把它放在情人的床下。

接著，降頭師把情人的頭髮焚燒化灰，化灰後用錫箔包著，交給求術者，叮囑求術者日夜戴在腰間，四十九日兩人即中術相愛。

南洋邪術降頭的猛鬼傳說

稚子無辜慘中邪靈降

如果見到雕塑作品，最好不要觸摸，一來會弄污雕塑，二來一旦雕塑附了靈體，觸摸它後靈體就會轉移到你身上，後果不堪切想……

話說，在 20 年前的一個下午，有一對母子，兒子大約 6 歲左右，正讀小學一年級，在觀塘裕民坊巴士站下車後，母親拖著兒子的手，在附近四處逛街。

輕摸裸女雕像惹禍

當兩人行到街頭一間戲院，兩母子不經意地行了入去，突然兒子放開了母親的手，在戲院大堂四處走動，當他走到大堂中央位置時，見到一個類似泥造的裸女雕塑，用繩圍住，塑像背上刻有些經文，兒子一時頑皮性起，走入圍繩內之裸女泥雕旁，並且用手摸這個泥雕的後背，即時被戲院的員工呼喝制止，但他已觸摸到該泥雕一下，母親在遠處見到這事，即走過去並罵了兒子一頓後，便帶了兒子一同回家。

回家後一切生活如常，但到了翌日下午，與昨日逛戲院之相同時間，兒子突然狂叫並且狂叫很驚，母親即放下家務走出客廳，見兒子坐在地上，很驚恐地望著天花的角落，母親便跟住兒子的眼光視望上去，但看不到任何異象，便撫摸兒子的頭想安慰他，怎料兒子正在發高燒，於是母親便帶他去看醫生，但醫生亦找不到病因，只好開了些退

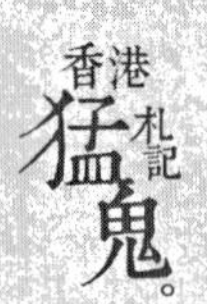

燒藥給他兒子服食。

臉上帶有死人的屍色

經過了兩星期，兒子的病仍未痊癒，倆夫婦手足無措，於是帶兒子入醫院，當搭的士去醫院途中，的士司機突然與夫婦說，他本身是一個道士，當他們上車時已感到有股邪氣帶了上車，而且他們兒子的臉上帶有死人的屍色，已知不妙，於是追問近期發生了甚麼事，去了甚麼地方等，當的士司機聽到戲院之事，突然同他倆夫婦說，他們的兒子已中了邪靈降，而且邪毒已深，如不及時驅邪，後果堪虞。

靈體欲借屍還魂

的士司機於是改變方向，載他們三人去了附近的紙扎舖，買了些作法用之用品，一隻生雞、生果、溪錢等，即驅車直去觀塘這間戲院，在戲院出面拜祭，並且放了隻生雞，燒了溪錢後，便送了他們回家，分文都沒有收取。

後來兒子對他倆夫婦說，他當日見到一個女人倒掛在天花板上面，並且對他伸出舌頭，於是他便驚到大叫，其實兒子在戲院觸摸女泥雕塑時，女鬼已附上男童身上，等時辰到時，便可借屍還陽，幸遇上這位行道高的司機將女鬼驅走，救回他們兒子一命。

爛滾漢中降後腦生蟲

泰國有位花花公子，由於英俊有型且口才了得，是銷售界的打工皇帝，亦桃花不絕。一次他遇到一個純情富家美女，自以為終於可以修心養性，便答應她從此專一，不再拈花惹草。女方亦不理家人強烈反對，開始同居同時籌備婚禮。

棄婦誓要落降報復

可惜此人本性難移，婚期未到便故態復萌。女方屢勸不果，每每以死相脅，並表示會落降向他報復。男方愛理不理，更變本加厲，索性不歸家。結果女方在睡房吊頸自殺，含恨而終。

負心漢頭皮紅腫焦爛

此人雖然亦傷心內疚了一點時日，但葬禮後不久又開始心癢，夜游獵豔，但奇在其魅力似乎消失殆盡，女士們都對他顯得很厭惡。細問之下，原來他身上經常發出一陣異味，惡臭難當。

除此之外，他的肩膊和頸項常常劇痛及感到很沈重，背脊更因而日漸彎曲。額頭又黏黏癢癢，常忍不住搔得紅腫焦爛。工作上連犯大錯，客人又對其樣貌舉止避之則吉，最後難逃被炒的命運。

腦內長滿幼蟲

醫生替男人做了一次詳細的身體檢查，發現男人的腦裡面長滿幼蟲，以吸食腦汁裡面的養份為生；此外，從X光片看出，從男人的頸部到脊骨都注滿一條又一條的毒蟲，不斷蠶食他的骨骼。

男人花光錢財，看盡所有名醫甚至高僧，均驅除不到體內的毒蟲。在精神肉體受盡折磨之下，一年內死亡......

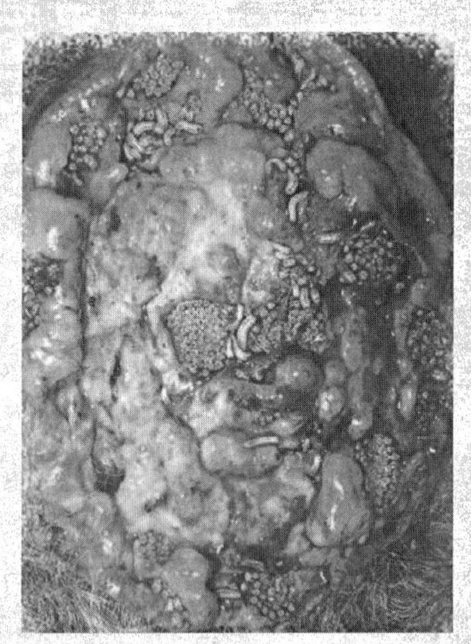

破開男人的頭顱，發現腦內滿佈毒蟲。

轉運不成反遭巫師落降，7 年來夜夜被厲鬼追纏

阿萍 7 年來每天看到黑影，耳邊總有莫名音樂繚繞，並感覺被鬼壓。

她透露，年輕時在越南非常喜歡算命。她 23 歲那年，朋友介紹了一名女巫師給她。女巫師告訴阿萍，她未來的健康會越來越差，必須改運才可化解厄運。

交指甲及頭髮給巫師後惹禍

她說，女巫師向她要了手和腳指甲及 9 根頭髮，然後就放在神像面前膜拜，之後女巫師還給她幾包草藥回家煮來喝。

見了女巫師後，阿萍的生活起了很大的改變。

「剛開始我只是傷風流鼻涕，可是約 2 年後，我就看

▲中降者夜夜被厲鬼纏擾

到黑影，它將我壓著，令我動彈不得，甚至喘不過氣來。」

她聲稱，每次被鬼壓，都要費盡九牛二虎之力從床上坐起來，才得以解困。

阿萍後來嫁來新加坡，以為就此可以擺脫厲鬼糾纏，可是，她覺得厲鬼不願放過她，從越南尾隨她到獅城。

「到了新加坡，我每天還是會聽到聲音，還有被鬼壓，我已經心力交瘁，無計可施了。」

每天只睡 4 小時，耳際常聞陰笑聲

阿萍每天只能睡 4 小時，常聽到有人在耳邊陰陰笑地說：「我會讓你一輩子命苦」。

阿萍說，她近年來，每天平均只睡 4 小時，其餘的時間不是在工作就是被鬼纏。她說，只要閉上眼睛，就會聽到有人在耳邊陰森森地詛咒她「一輩子命苦」。

我要你一世命苦……

「我感到很害怕，我不想一輩子被鬼纏。」

日前她經朋友介紹找了一位法師為她作法驅鬼和改運。法師認為，她因「時運低」，才會見到不該看到的東西。法師表示，作法提升阿萍身體的能量後，鬼怪就不會再纏著她了。

作法之後，阿萍的情況有好轉，由以前晚晚被鬼壓，天天有把聲音咒她「一輩子命苦」，到現在一個月只出現一兩次。

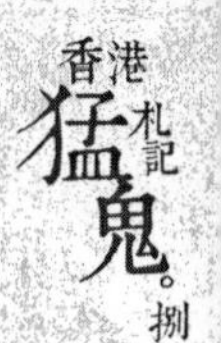

被厲鬼糾纏了多年後，阿萍忍無可忍，決定回越南找女巫師問個究竟。她找到女巫師後，問對方是否對她做了甚麼。

女巫師承諾落降

「女巫師親口承認對我下了降頭。」

原來女巫師受一名女士的請求，向阿萍落降，這名女士就是當日介紹女巫師給阿萍認識的朋友。阿萍做夢也想不到，這位多年好友全因眼紅她找到一個好丈夫，竟然買通女巫師存心要加害她。

幸好，女巫師最後答應替阿萍解降，阿萍七年的夢魘終於可以徹底完結。

女鬼狠施迷降夜夜求歡，壯漢慘被吸乾而死

阿成、阿茂和阿甘是一間馬來西亞工場的同事，亦同居於一間宿舍，他們感情非常要好。

有一晚，大約深夜十二點多，阿成獨自一個人開門出外，轉了一圈回來後，之後進入房間躺下就呼呼入睡。當時阿茂和阿甘並不以為意，以為他睡不著，到屋外去走走，餓了就煮麵吃，並不奇怪，也沒有發現有何異樣。

但是，一個每個星期居然有四五次這樣，睡到深夜，他又起身，開門出外轉一圈，然後返回宿舍。幾個星期之後，同事問阿成為甚麼晚上經常外出，是不是晚飯吃不飽，因此晚上要起身宵夜？

夜夜十二點，夢遊外出

阿成竟然答說完全沒有這樣的事情，晚上他一直沒有起身過，一覺睡到天亮。

為了收集有力的證據，一連幾個晚上，阿茂和阿甘一直跟蹤阿成，並用照相機進行拍照。這一晚阿成一如以往那樣，一到深夜十二點多又起身，然後開門外出，走到附近一間屋子，突然有人伸手把他拉入屋內，並迅速將門關上。

有相為證，晚晚與惹火女郎親熱

他們從一個視窗望進去，發現阿成雙目緊閉，全身赤裸，躺著任由一位樣子長得醜陋，但身材惹火的中年婦女，在他身上亂模亂吮吸，感到滿意後，才為阿成穿回衣服把他推出門外。而他好像一切都是被動，好像睡著般的行回宿舍。

女鬼施迷降，男子求助無援

直至阿茂與阿甘把這幾晚以來所見到的情景告訴他，同時出示幾十張照片遞給阿成看，才把他嚇呆了。他表示全然不知道自己在做甚麼，也不認識那個女人是誰。

阿成本身也想弄明白到底發生了甚麼事，難道是撞邪？是鬼上身？他感到非常害怕！

過了兩晚，阿成的怪病又發作了，一如既往那樣，開門出去，行到附近那間屋，突然間又有隻女人的手伸出來將他拉進屋去。

當她完事後，同樣的把他推出門外，並迅速關上門，而這一切的過程，他們都把整個過程拍攝下來，隔天把照片給他看。但怪事發生了，照片裡只看見他一個人赤裸裸地躺在一張陳舊的床上，呼呼大睡，竟未見那位中年女人的存在，難道她會隱形術嗎？

一個有月亮的深夜，阿成步出門口，朝那間屋走去。一如過去那樣，有一隻女人的手把他拖進去，然後脫光衣

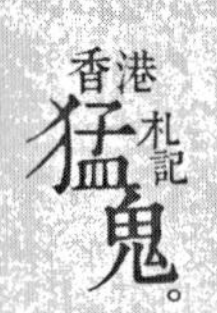

服，讓他躺下去親熱交歡。就在她欲仙欲死的緊張關頭，三人衝進去，並用強烈照射燈光向床上照射。

奇事發生了，一個似人又似妖的女人，面貌醜陋，血盆大口，雙眼露出凶光，她旋即凌空飛起，變成了黑影往窗外飛走，並在床邊留下幾滴鮮血。

被女鬼吸乾人血亡

老闆鄭先生略懂茅山之術，他看過相片後，估計阿成是中了女鬼的「迷降」，才弄致晚晚夢遊外出被女鬼纏著。鄭先生唯恐不測的事情發生，調走他們三個去另外一個工地工作，但那個女妖仍然糾纏著阿成不放。

一天，傳來噩耗，阿成倒斃在一間小屋裡，死時全身枯乾，猶如一個稻草人般……

天天滴血誠心養鬼求轉運，反釀意外致終身殘廢

經濟不景氣，人人擔心飯碗不保，有人卻想到養鬼仔來轉運。今年三十多歲的阿君，從事鋁窗工程已經有十多年，無懼滴血餵飼降頭鬼，藉此達到飛黃騰達的目的。

鋌而走險，滴血餵飼降頭鬼

在一次和行家的聚會中，阿君聽聞如果養了鬼仔，運氣就會好轉。終於，在朋友的介紹下，阿君認識了一位在荃灣的降頭師，並且決定收養一個鬼仔。

阿君表示，降頭師對他說，只要誠心供養，鬼仔就會保護他，如果有甚麼需要，就直接向鬼仔請求，阿君就一定會如願。

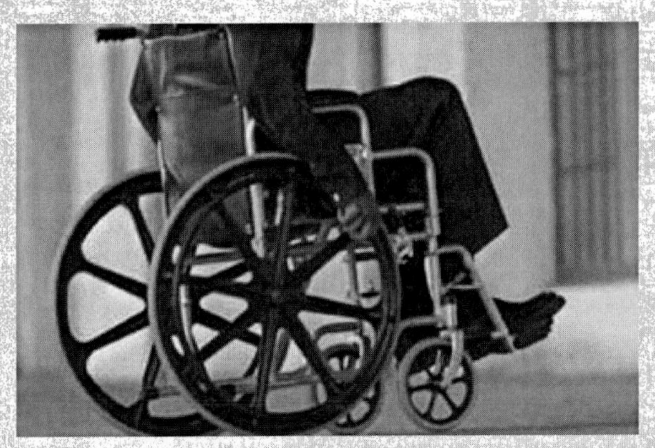

▲以血養鬼仔，最終換來殘廢的下場。

但領了鬼仔回家後，首先面對的問題是，妻子和小女兒的堅決反對態度。他們認為家中有隻鬼好恐怖，而且食飯時又要擺多一套碗筷，阿君幾經辛苦，才說服了她們接受這隻鬼仔。

欲鬼仔指點迷津，反墮樓變癱

但養了半年，阿君仍然找不到工作。他心裡雖然有些懷疑，但仍然堅持每日的供奉儀式。有一次，他索性放一張大地圖在地上，然後手拿一枚一元硬幣，口中唸唸，「阿仔，你爸爸好慘呀。你就指點爸爸，應該去那裡發展啦。」說完，他將個硬幣拋在地圖上，位置剛巧是在東莞上。

阿君依照鬼仔的指示，到東莞尋找商機。說也奇怪，到東莞後的第三天，他就接到一份六層辦公大樓的鋁窗工程。但不幸的是，在施工期間，他竟然意外墮樓，造成雙腳殘廢。

「生死有命，富貴由天，我現在不想認命都不能了。」面對前路茫茫，阿君惟有嘆息。他告訴記者，在那次意外後，他已經將鬼仔扔掉了。

鬼仔長大後心生邪念，欲取代主人的身份

有不少女人都會嘗試養鬼仔，尤以妓女和家庭主婦居多。妓女養鬼仔的目的，是希望鬼仔可以迷惑客人，讓客人不知不覺間，經常幫襯，令自己賺個盆滿缽滿。而家庭主婦會養鬼仔，目的則是看緊老公，因為不少男人到內地包二奶，大婆們無計可施，惟有藉鬼仔幫助，讓老公乖乖的留在身邊。

嬰靈報復 加害主人

鬼仔其實是未出世便夭折的小孩，不少主人只懂指使嬰靈做事，對他們沒有任何感情，不知道嬰靈也會長大，智慧也會隨之增加，需要別人的愛和關心，不甘只當被人利用的工具。

▲鬼仔要「反客為主」，誓要奪取主人性命。

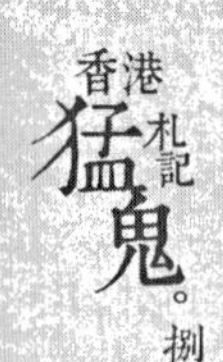

話說有一位家庭主婦，在照顧嬰靈時掉以輕心，嬰靈在不斷成長下心生惡念，決定模仿主人，並希望取代主人的身份。嬰靈每日學習主人，並利用法力將自己的形象改變。

某夜，主婦獨個兒在家，正想由客廳進房睡覺，她在半掩的房門內，竟看見一個和自己完全一樣的人。她把門推開看個清楚，原來那個物體只有半邊身和她一樣，右邊的身體還未長出來。主婦被嚇個半死，嬰靈露出獠牙鬼臉，企圖向主婦施以毒手，慶幸嬰靈還未完全成長，主婦才得以逃出魔掌。

主婦立即向驅鬼道長求助，道長發現嬰靈心存不軌，把嬰靈收服，自此以後，該名主婦再也不敢養鬼仔了。

幸好主婦及早發現，否則鬼仔必然會奪去主婦的魂魄，取代其身份。

亂拾鬼仔木偶惹禍

前文提過，鬼仔的製作過程亦非常殘忍！降頭師會將夭折的嬰兒屍體製成鬼仔，再用胎盤埋入泥中念咒施法種出樹苗，降頭師會砍下其樹桿雕成人像木偶，再將嬰靈收入木偶中，等候差遣......

如果街上有人遺下不明來歷的木偶娃娃，千萬不要貪心拾去，唔係個個都好似李太一家咁好命 ......

誤執鬼仔木偶像

某天，李太如常接女兒珍珍放學，行經一個公園，無意中看到搖搖板上有一個木偶公仔。李太覺得它很別緻，珍珍又喜歡，於是她便把它回家。

木偶變黑，好心清洗，點知......

不幸的是，李太的丈夫卻從此交上噩運。首先他因在工作時不慎弄傷腰骨，而要留在家中休養。某日李先生獨自在家中休息，卻忽然發現那木偶公仔竟然變成黝黑色，狀甚嚇人。於是他便把它拿下來清洗，可是無論他怎樣洗擦，那黑色的污垢卻總是洗不掉。後來他把神像浸在一盆水中，意圖浸它一夜來讓污漬自然溶解。

當晚李先生睡到半夜時，忽然被房外的一些聲音驚醒。初時他也不以為然，於是很快便倒頭再睡，但他老是覺得有點不對勁，於是便想出去看個究竟。誰知當他雙腳落地

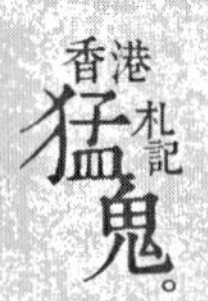

時，便感到滿地都是水，原來是洗手間的水管爆裂，令室內水浸。

木偶公仔自出自入……

李氏夫婦忙了個多小時，才能把屋內的部分積水清理。由於實在累得交關，李先生便攤坐在廳中梳化上休息一下，而他亦彷彿已忘記曾把神像浸在水中清潔這回事。可是過了不久，他忽然「啊」的一聲叫了出來，連李太也給他嚇倒。原來他突然發現那浸在水中的木偶公仔竟然在女兒珍珍的房中！

李太有點不放心，便說：「好唔好丟 個公仔？」

此時，那木偶公仔卻忽然震動了幾下，並從床上掉了下來，嚇得他們軟攤在地。驚魂甫定後，李先生便戰戰競競的走近那木偶公仔，並預備把它取下來拋棄，可是他卻忽然感到有一股熱力從木偶公仔中散發出來，嚇得他連忙把它摔在地上。

由於他們兩人都覺得事態嚴重，如再不處理的話恐怕會有更可怕事情發生，於是李太抱起女兒，李先生則離家乘的士往海邊將木偶公仔拋下海中。幸好自此之後，他們家裡再也沒有靈異事件發生，事情亦總算告一段落；自此之後，李太一家不敢亂拾玩具回家了。

遭仇家落降頭，惡靈附身吸食腦髓變痴呆

要避免中降頭，平時就要廣結善緣，勿與人結怨，否則，遭仇人落降報復，將會抱憾終生……

突然不省人事

在馬來西亞有一名莊園園主，他平常都在芭裡工作，有一次妻子送飯給他吃，看見丈夫昏倒在芭裡，叫也叫不醒。妻子送他到醫院後，醫生馬上替他檢查，但證實一切正常，不過，園主看起來仍是有點痴呆，雙眼直睜。

園主住院三天後，出院回家休養。

屢醫無效，藥石無靈

園主妻子的小學同學是道術師父（姓葉），葉師父知道園主的遭遇後，只是默不作聲，因為園主被人「下降」，

▲中降者會喪失意識，變得痴痴呆呆。

背后有其「因果」關係。某一個下午，葉師父到園主的家走一趟，當時他和園主面對面，互相對看。葉師夫勸附在他身上的幽魂離開，可是園主(幽魂)一句話也不說，還站出來掐師夫的頸項，想阻止師夫說話。葉師父當時手結法印，往園主的印堂打去，園主馬上跌倒在地，過後又再起身。葉師父過後再結手印，園主不斷閃避，就是不願受教。

葉師父隨後囑園主家屬拿了一碗水，施法後交待家屬在當晚 9 時及午夜 12 時，讓園主分兩次喝下「法水」，只要園主一清醒就送他到醫院。

園主當晚喝了「法水」後，果然恢復意識，他清醒後開口第一句話就問：「我在哪裡？」。

幽靈附體，吸食腦髓

園主過後被家人送往醫院，經醫生檢查後，發現其腦髓已少了一半，變成半痴呆。原來，園主被人下降後，遭幽魂陰靈纏身，並不斷吸食腦髓。

園主當年年少氣盛，一不咬弦就動武動粗，可謂得罪人多稱呼人少。目前，園主已喪生自理能力，行動不便，本來是一家經濟之柱的他頓成了家庭負擔。

中降後十八招急救大法

注意：本章節所述之解降方法，只是民間偏方，很難證實其功效。若有人懷疑自己中降，或已經不幸中降，要盡快向法力高強而又有德行的法師解救。任何人 / 公司因本書的內容資料而產生之損失或損害，本公司一概不負上任何法律責任。

如何分辨自己是否中降？

看看自己的上眼白，就可以知道自己是否中降！

倘若你上眼白的中間部份，豎著一條直線，那你就要小心了！暗灰色的直線，表示你中了符術。深黑色的直線，表示你中了降頭術。

倘若上眼白佈滿了黑色小點，表示你被下了蠱毒。

如果你能確定有段時間不曾出國，尤其是到東南亞一帶，那就快向茅山派傳人求救，最好是大師級的師父，十之八九可以解降。萬一你最近正好曾到東南亞一帶，又和當地人有些不尋常的接觸，例如嫖妓等，那就儘快回東南亞找當地法師幫忙。

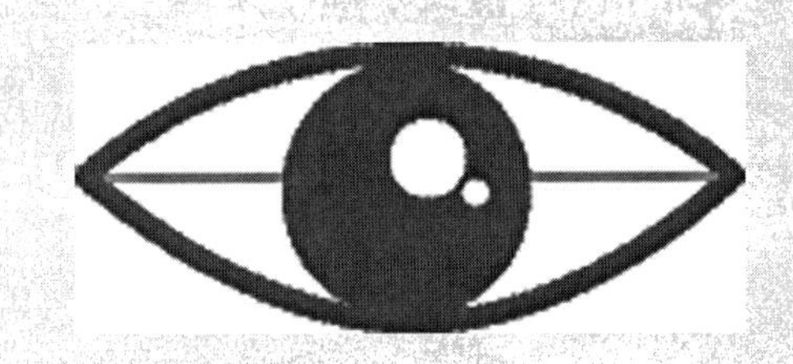

被人落降有甚麼特徵？

現象1：

晚晚睡不安寧，輾轉反側難以入睡，即使睡著了，都是惡夢一個接一個，令你半夜驚醒、半頭大汗。

現象2：

精神不振，思緒混亂，昏昏沉沉，每天到了某個特定時間就會感到頭暈或頭痛。

現象3：

莫名的身體虛弱，吃補藥或看醫生都無效。神情呆滯，即使飽吃了一頓仍是渾身沒勁。

現象4：

心跳急速，心悸紊亂，經常感到害怕，食唔安坐唔樂。終日擔驚受怕，但又不知道自己在怕甚麼。

現象5：

睡覺時感覺好像有一種被壓住的感覺，類似「被鬼壓」，一覺醒來，會發現身上常有莫名其妙的瘀青。

現象6：

諸事不順，很倒楣，即使一向萬無一失的工作都會無端出意外，身體又多毛病。

現象7：

好像失去靈魂一樣，無法控制自己的思想，做出一些怪異又反常的行為，經常手腳顫抖。

避免受詛咒下降頭的方法

1. 不要隨意給別人自己的指甲，剪指甲時把指甲削丟好，不要在外面剪指甲，例如飯店、學校或者別人的家。
2. 不亂拔頭髮，別讓人家亂拔你的頭髮，或者勿讓別人觸摸你的頭髮。
3. 不亂蓋手印。
4. 不拔身體上的毛給別人，如頭髮、腳毛、鼻毛、手毛或者陰毛等。
5. 不亂吃別人給你的符咒水或其他東西。
6. 盡量不要對著陌生人的眼睛眼望眼太久。
7. 不要留下照片或衣物給分手的情人或敵人。

南洋居民秘傳的防降招式

「降頭術」的厲害是無可否認的，如何防禦降頭術，是住在南洋的人必需具備的求生常識：

防降寶典 18 招

1. 正在行運的人不易中降。「降頭術」是不能沖犯或傷害他的，只有行衰運的人才易中降，邪會乘虛而入。
2. 生肖大的人不易中降。十二生肖中，牛、虎、龍、馬乃大生肖，不易被「降頭術」所侵犯，除非他正在走死運。
3. 佩戴烏狗鞭的人不易中降。不論男女，時刻要戴在身上。
4. 要佩戴佛牌，可防禦「降頭術」。
5. 黑狗血可破「降頭術」。凡降頭鬼作祟，可到其墓碑上，用烏狗血淋之，術必敗。
6. 中降頭術的人可搭船過海，此舉能避祛降頭術。
7. 凡有人敬茶或咖啡，小心！要提防有冇被暗中放入「降頭術」。接過茶杯時，暗探其底部，如果是熱茶，但杯底冰冷無熱，便是有「降頭術」在內。
8. 凡入人門，暗以鞋底在門檻上連踏三下，可以祛術。
9. 凡有人敬茶，俯首探視茶杯，如發現無倒影，表示茶中有「降頭術」，不可入口。
10. 凡中「降頭術」者，要步行半日，血氣混行得好，邪逃遁，術必敗。
11. 中「降頭術」者，速坐飛機橫越太平洋，術不能渡海

而自敗退。

12.「降頭術」入屋時，必有冷風陣陣吹來，令人毛髮悚然，打噴嚏，心有不安。

13. 念《可蘭經》可破降頭術，但此法對回教徒才靈驗。

14. 凡中「降頭術」的人，兩眼神色呆滯，臉晦暈，舉動失常，須速請法師解降。

15. 念心經可破降頭術，但此法對佛教徒才靈驗。

16. 念《道德經》，但此法道對教徒才靈驗。

17. 中降頭的人，如果知是某人所作的，除非某人自殺或被殺，將他的血衣焚灰放落酒飲下，降頭毒才可解除。

18. 當你心裡有懷疑「降頭術」作祟的話，別忘記暗自念道：「你有降頭我有尾，降我不到，降返給你」，對方便無術可施了。

防降護體心經

般若波羅密多心經

觀自在菩薩，行深般若波羅密多時，照見五蘊皆空，度一切苦厄。舍利子！色不異空，空不異色，色即是空，空即是色；受想行識，亦復如是。舍利子！是諸法空相：不生不滅，不垢不淨，不增不減。是故空中無色，無受想行識。無眼耳鼻舌身意；無色聲香味觸法。無眼界，乃至無意識界。無無明，亦無無明盡；乃至無老死，亦無老死盡。無苦集滅道。無智，亦無得。以無所得故！菩提薩埵，依般若波羅密多故，心無罣礙，無罣礙故，無有恐怖，遠離顛倒、夢想，究竟涅槃。三世諸佛，依般若波羅密多故，得阿耨多羅三藐三菩提！故知般若波羅密多，是大神咒，是大明咒，是無上咒，是無等等咒。能除一切苦！真實不虛！故說般若波羅密多咒，即說咒曰：揭諦，揭諦，波羅揭諦，波羅僧揭諦，菩提娑婆訶！

六字大明呪

六字真言的六字是：

「嗡」、「嘛」、「呢」、「叭」、「彌」、「吽」

漢字音譯為

唵（an）、嘛（ma）、呢（ni）、叭（ba）、彌（mei）、吽（hong），等六個字音。

嗡：表天道

嘛：表阿修羅道

呢：表人道

唄：表畜牲道

美：表餓鬼道

吽：表地獄道

無論男女老幼，富貴貧賤，皆可念誦，遍數越多越好，每次至少 108 遍，行、住、坐、臥，皆可。但須身心清淨，忌蔥蒜葷腥等。又應發菩提心、大悲心，至誠皈依觀世音菩薩，心緣壹境，不可散亂，久久行之，禍亂悉免。此外，念誦此咒，能治諸多魔障，能除諸多損害，能消諸多惡劫。

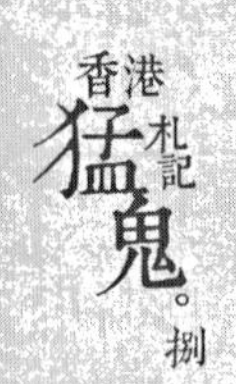

大悲呪

大悲咒，是觀世音菩薩的大慈悲心，無上菩提心，以及濟世渡人，修道成佛的重要口訣：

千手千眼觀世音菩薩廣大圓滿無礙大悲心陀羅尼

南無喝囉怛那。哆囉夜耶。南無阿唎耶。婆盧羯帝。爍缽囉耶。菩提薩埵婆耶。摩訶薩埵婆耶。摩訶迦盧尼迦耶。唵。薩皤囉罰曳。數怛那怛寫。南無悉吉栗埵。伊蒙阿唎耶。婆盧吉帝。室佛囉楞馱婆。南無那囉謹墀。醯唎摩訶。皤哆沙咩。薩婆阿他。豆輸朋。阿逝孕。薩婆薩哆。那摩婆薩多。那摩婆伽摩罰特豆。怛姪他。唵。阿婆盧醯。盧迦帝。迦羅帝。夷醯唎。摩訶菩提薩埵。薩婆薩婆。摩囉摩囉。摩醯摩醯唎馱孕。俱盧俱盧羯蒙。度盧度盧罰闍耶帝。摩訶罰闍耶帝。陀囉陀囉。地唎尼。室佛囉耶。遮囉遮囉。麼麼罰摩囉。穆帝隸。伊醯伊醯。室那室那。阿囉參。佛囉舍利。罰沙罰參。佛囉舍耶。呼盧呼盧摩囉。呼盧呼盧醯利。娑囉娑囉。悉唎悉唎。蘇嚧蘇嚧。菩提夜。菩提夜。菩馱夜。菩馱夜。彌帝唎夜。那囉謹墀。地利瑟尼那。婆夜摩那娑婆訶。悉陀夜。娑婆訶。摩訶悉陀夜。娑婆訶。悉陀喻藝。室皤囉夜。娑婆訶。那囉謹墀。娑婆訶。摩囉那囉。娑婆訶。悉囉僧阿穆佉耶。娑婆訶。娑婆摩訶阿悉陀夜。娑婆訶。者吉囉阿悉陀夜。娑婆訶。波陀摩羯悉哆夜。娑婆訶。那囉謹墀。皤伽囉耶。娑婆訶。摩婆利勝羯囉夜。娑婆訶。南無喝囉怛那哆囉夜耶。南無阿利耶。婆羅吉帝。爍皤囉夜。娑婆訶。唵。悉殿都。漫多囉。跋陀耶。娑婆訶。

觀音經

南無觀世音菩薩。

南無佛。南無法。南無僧。

與佛有因。與佛有緣。

佛法相因。常樂我靜。

朝念觀世音。暮念觀世音。

念念從心起。念佛不離心。

天羅神。地羅神。

人離難。難離身。

一切災殃化為塵。

南無摩訶般若波羅密。